S0-BMA-026

罪行

VERBRECHEN

費迪南·馮·席拉赫——著
薛文瑜——譯

各界名人著迷推薦

一本關於尋常犯罪的非凡著作，由一名經驗豐富的辯護律師寫成，筆調充滿懸疑與洞見，並且優美而嚴謹。一部實實在在的驚悚作品。

——徐林克（《我願意為你朗讀》作者）

一件犯罪，從事後看都只是冰冷的書面資料，無法身歷其境感受第一現場的驚悚震撼與兇手的冷酷無情。研讀這本《罪行》，可以讓人體會人性最深層、黑暗的一面，對於未來，就能有更多面向的思考與準備。

——侯友宜（新北市副市長）

人類社會對其社群成員施加懲罰的目的與價值何在，始終不若其他動物社會來得簡單明瞭，那是因為我們有人性。提升人性所特有的理性、關懷、許諾、信仰與自我想像，使我們能夠超越生存與繁衍之外，賦與生命更深層的意義。謹推薦本書予所有對人性難題有興趣的人們。

——顧立雄律師（萬國法律事務所資深合夥人）

法律在人性的夾縫中其實顯得微不足道。作者不用法匠的角度去講故事，而是讓故事自己去講故事，每篇故事有如一道道酸甜苦辣的菜餚。作者在起鍋前用了一丁點法律去調味，竟然就把人性烹調得如此入味。

——黃國華（總幹事）

因著人性，這本書所述說的故事，就不只是某地區的人才會發生的生命情節。因著人性，誰都有可能走向以罪行了結一切的地步。……透過本書，我們都可以好好的檢視與察覺自己內心那些可能醞釀成罪行的傷痛與壓力，早一刻為自己做出一個放過自己、善待自己，也終止悲劇發生的決定。（摘自〈佳評分享〉）

——蘇絢慧（馬偕醫院協談中心諮商心理師）

這本書很好看！尤其以律師角度看來，心有戚戚焉。如果知道我們有所選擇，就不會發生法律所不能原諒的「罪行」，這十一個故事讓我們看到最原始的人性……（摘自〈佳評分享〉）

——吳宜臻律師（台北市女性權益促進會理事長）

律師，常被認為唯利是圖，滿身銅臭。本書作者顯然不是如此。他充滿人道關懷，所作所為充分散發出法律人應有的智慧。

——林峰正律師（民間司改會執行長）

出於愛情而從事的非法行為，無罪。如果法律多一點人性化的考量，這世界會更美好。

——張大魯（這些人那些事 網路廣播電台製作人）

費迪南．馮．席拉赫用平實簡潔、不帶煽情的文字，細膩寫下犯罪、律政與人性三者交織而成的故事。每一則都有其神祕、緊張、驚愕或感人之處，甚至比小說更曲折離奇——只是這些情節並非虛構，而是來自你我可能會經歷同樣遭遇的真實世界。極為耐人尋味的閱讀體驗，誠心推薦一讀。

——冬陽（推理小說評論人／文字工作者）

倘若不是這般節制而冷靜的敘事
所有曲折細節將流於腥羶的窺奇
如果沒有那麼同理而柔軟的視角
一切駭人聽聞就只是待除的毒瘤
於是他人的罪行之過
也是自我的反思之鏡

——李明璁（作家，台大社會系助理教授）

從文學角度而言，這十一篇短篇故事扣人心弦、高潮迭起，是非常引人入勝的作品。每一個案件，德國刑事辯護律師看到的不只是卷宗，重要的是當事人，不只是抽象的法律概念，而是當事人的真實處境及內心世界。作者並非用律師的眼光看當事人，是以當事人的角度，深入他們的階層，了解他們內心的愛與痛，委屈與期望，真是有「人味」的正義律師！

推薦這本書給關心正義的人，相信這本書可以讓您以不同的角度瞭解「罪犯」。我也推薦這本書給從事司法工作者，包括法官、檢察官及律師，我們常常忙碌於卷宗堆裡，而忘了當事人，相信這本書會提醒我們重視當事人，更深入瞭解他們。

——林永頌律師

目次

前言

我們所能夠談論的真實，本身從來就不是真實。

——維爾納・海森堡

美國大師級的獨立電影導演吉姆・賈木許曾說過，他寧可拍一部描述某個男人帶著狗兒散步的電影，也不想拍關於中國皇帝的題材。對我來說，也是如此。表面上我寫的是刑事案件，在這方面我有超過七百件刑案的辯護經驗，但事實上，在這本書中，我寫的是人，是他們的失敗、他們的罪責和他們的偉大。

我有個伯父，他是刑事合議庭的審判長法官，他專司命案、謀殺和重傷害致死等案件。在我小時候，他會跟我們敘述我們聽得懂的案子，開頭永遠是：「大多數的事情是非常複雜的，而罪責正是其中之一。」

他是對的。我們在事情後面追，它總是快過我們的腳程，到頭來我們還是追不上它。我敘述殺人犯、毒犯、銀行搶犯和妓女的際遇，他們有他們的故事，而且他們和我們沒有多大的不同。我們的一生同樣都在薄冰上跳舞，冰層下極冷，若不幸落水，很快就會喪生。有時冰層無法承載某些人的重量，於是冰破人落海，我感興趣的就是這一刻。如果幸運的話，事過境遷，我們依然繼續跳舞。如果幸運的話。

我那位擔任法官的伯父，戰時在海軍服役，他的左手臂和右手被砲彈炸毀，儘管如此，他還是沒有卸職。大家都說，他是個好法官，很有人味，說他是個公平正直的人。他很喜歡打獵，有個小小的狩獵區。有天早上他進到森林，拿起雙筒槍把槍管塞進口中，以他殘存的右手臂扣下扳機。他穿著黑色的套頭毛衣，獵裝掛在樹枝上。他的頭部中彈後整個爆裂開，很久很久以後我才看到那些照片。他留下一封簡短的信給最好的朋友，信中寫道，他就是活夠了。這封信的開頭是：「大多數的事情是非常複雜的，而罪責正是其中之一。」我還是很想念他，每一天。

本書探討的正是像他這樣的人，以及他們的故事。

費納醫師

菲德漢姆・費納在德國西南端的羅特魏爾當了一輩子的醫生，每年開出兩千八百張病假證明單，他的診所就位在主街。他同時也是埃及文化界的領袖、獅子會會員，沒犯過法，甚至連違規事件都沒發生過。除了自住的宅院外，還有兩棟房子出租，有一部開了三年的賓士E-Class、內附皮製座椅及自動空調，以及價值約七十五萬歐元的股票和債券，外加一張壽險保單。費納沒有小孩，唯一還活著的親人是小他六歲的妹妹，她和先生及兩個小孩住在斯圖加特。費納的人生本來是乏善可陳的，直到遇見了英格麗特。

費納二十四歲時，在父親六十歲生日聚會上認識了英格麗特，他的父親也在羅特魏爾當醫生。

羅特魏爾是一個典型的中產階級的城市，外來客即使不問，也會有人告訴他們，這個城市是由史陶費爾所建立的，它也是巴登－符騰堡州最古老的城市。人們真的能在這裡看到中世紀的凸窗，還有十六世紀遺留的精緻雕刻招牌。費納家族世居於此，是落居此地最古早的家族之一，家族成員都是受人景仰的醫生、法官和藥劑師。

費納長得像小約翰．甘迺迪，有張親切的臉，讓人以為他無憂無慮、事事順心；只有更仔細的觀察，才會注意到他的臉孔透露出幾許哀傷、幾許滄桑和暗沉。這樣的面容在黑森林及施瓦本山之間並不罕見。

英格麗特的父母是羅特魏爾的藥劑師，他們帶著女兒赴宴。她大費納三歲，是個胸部很大的村姑型美女。水藍色的雙眼、烏黑的秀髮、白皙的肌膚，她很清楚自己的影響力。她無法以正常的語調說話，那有如金屬撞擊般高八度的奇特嗓音，讓費納心煩氣躁。只有當她放低音量時，她的話語聽起來才有抑揚頓挫。

她實科中學沒畢業就當起服務生，她告訴費納這只是「暫時的」，其實他一點也不在乎這點，他比較有興趣的是另一方面，那方面她可是強多了。在這之前，費納只有兩次短暫的一夜情，但她們讓他感到不安。這回，他對英格麗特是一見鍾情。

壽宴兩天後，他們一起去野餐，餐後她引誘他，於是他們就在避雨亭中辦起事來。英格麗特的床上功夫了得，教費納意亂情迷，一個星期後就向她求婚。她毫不猶豫就答應了，因為費納正是所謂的好對象，他在慕尼黑攻讀醫學，人好又有魅力，而且不久後他就得參加第一次大考。最重要的是，他的認真吸引了她，那種感覺她說不清楚，但是她告訴好友，費納絕對不會拋棄她。四個月後，她就搬去與他同住。

他們去開羅蜜月旅行，地點是他選的。當後來有人向他問起埃及，他總是說，那是「沒有重力」的地方，即便他很清楚，沒有人懂他話中的含意。在那裡他有如華格納最後一齣歌劇的主角少年帕西法爾、是天字第一號大傻瓜，但他卻感到幸福。這也是他生命中最後一次有幸福感。

回程的前一晚，他們躺在旅館房間內，暑氣逼人，在這小小的房間裡，連空氣都像凝結起來。那是一家廉價旅舍，聞起來有水果腐爛的氣味，樓下還傳來街道上人車往來的噪音。

即使高溫炎熱，他們還是共度春宵。完事後，費納仰躺在床上，雙眼盯著天花板下的旋轉吊扇；英格麗特抽著菸，翻了個身，單手撐住頭注視著他。他微笑著，而她卻沉默許久。

然後她開始敘述，敘述她在費納之前遇到的那些錯的男人，個個讓她失望透頂，尤其是讓她懷了孕的法國中尉。那次的墮胎讓她差點賠上性命，說著說著她哭了起來。他大為震驚並擁她入懷，在胸前感受到她的心跳但卻束手無策。她信任我，他想。

「你發誓，你會照顧我一輩子，絕不會離開我。」英格麗特顫抖的說。

他說他深受感動，要她放心，不是結婚時在教堂發過誓了嗎，和她在一起他很幸福，他願意……

她硬生生的打斷他，音量加大，這時像金屬般單調刺耳的聲音又出現了。「你發誓！」

突然間他明白了，這不是愛侶間的對話。吊扇、開羅、金字塔、悶熱的木造房間，所有的甜蜜公式瞬間消失得無影無蹤。他將她從懷中推到面前，好看著她的眼睛。然後他說了。他說得很慢，而且他知道自己在說什麼。「我發誓。」

他再度擁她入懷，親吻她的臉，於是他們又春宵二度。但這回不同，她坐在他的身上為所欲為，他們都很嚴肅、陌生又寂寞。當她達到高潮時，開始打他耳光。後來他一直盯著天花板無法入眠，然後突然停電了，吊扇也不再運轉。

當然，費納以優異的成績通過考試、取得博士學位，並在羅特魏爾縣立醫院得到第一份工作。他們找到一間兩房一廳的公寓、浴室內有浴缸，還可眺望森林。

在慕尼黑搬家打包時，她把他的唱片全扔了，搬進新家後他才發現。她說，這些唱片是他和別的女人共有的，她無法忍受。費納大為光火，為此他們冷戰了兩天。

費納喜歡包浩斯建築設計學派的簡約風，她卻以橡木和松木家具布置屋內，還掛上窗簾、鋪上色彩鮮豔的床單，甚至選用刺繡的杯墊和錫製的杯子，這些他都忍了下來，因為他不願干涉她。

幾個星期後，英格麗特說他拿刀叉的樣子妨礙到她。起初他開懷大笑，覺得她太孩子氣；但隔天她又這麼指責他，再隔天又來一次。因為她對這事非常認真，於是他就改變拿刀叉的方式。

英格麗特又抱怨他都不倒垃圾，這時他告訴自己，兩人在一起剛開始總有適應期。然後她指責他太晚回家，八成在外頭和別的女人打情罵俏。

諸如此類的指責沒完沒了，不久後他天天都會聽到他太邋遢、他把襯衫搞得髒兮兮、他弄皺了報紙、他很臭、他只想到自己、他說的都是廢話、他欺騙她。費納幾乎不為自己辯駁。

不出幾年，她開始侮辱他，起初還有點節制，後來越來越變本加厲。她罵他是豬、是豬腦袋，還說他折磨她，接著出現的就是屎糞等級不堪入耳的咒罵和咆哮。他放棄了。夜裡他下床讀科幻小說，也像大學時一樣，天天慢跑一小時，他們已經很久沒睡在一起了。雖然有女人對他獻身，但他沒有接受。三十五歲時，他接掌了父親的診所；四十歲時，他滿頭白髮。費納覺得好累。

——

費納四十八歲時，父親過世；五十歲時，母親走了。他拿遺產在市郊買下一間木造房屋，附帶一座小公園、荒蕪的灌木叢、四十棵蘋果樹、十二棵栗子樹和一片池塘，這座庭園後來成了費納的救星。他遍讀所有和灌木、池塘及樹木有關的書籍，訂閱園藝專業雜誌，買下最好的器具、研究灌溉技術，並以他獨特的縝密思維，研習園藝知識並付諸實踐。於是，庭園欣欣向榮，他的灌木林在附近廣為人知，費納還曾看到外來客在蘋果樹間穿梭拍照。

平日，他在診所待到很晚，費納是一位細心又有愛心的醫生，病患都非常尊敬他，在羅特魏爾，他的診斷就是公定的標準。每天，他在英格麗特起床前就離開家，直到晚上九點後才回家。晚餐時間的怒罵轟炸，他沉默的忍下，任由她刺耳的嗓音機鬪槍似的猛烈抨擊。她變胖了，蒼白的肌膚在這幾年變得紅潤，頸部也不再緊實，還出現一圈贅皮，隨著她罵人的節奏來回抖動。她呼吸變得困難，還得了高血壓，費納卻越來越瘦。某個晚上，當他建議她最好去找一位他認識的神經內科醫師看診時，她拿起鍋子砸向他，同時痛罵他是隻忘恩負義的豬。

——

六十歲生日前一晚，費納一直醒著。他拿出已褪色的埃及蜜月旅行照片，英格麗特和他站在金字塔前，背景有駱駝、貝都因人和滾滾黃沙。那是她把結婚相簿丟掉時，他從垃圾桶中撿回來的唯一一張照片，此後，他就把它收在櫥櫃最底層的深處。

在這個晚上，費納突然領悟到，他終其一生都得是這樁婚姻的囚犯。他在開羅許下承諾，正是在如今這麼艱難的歲月，他才更必須守諾；承諾不是只有在甜蜜期才算數。看著這張照片，他的視線模糊起來，接著脫掉衣服，光著身子站在浴室的鏡子前，久久盯著自己看，然後他坐在浴缸邊緣，這是他成年後第一次哭泣。

——

費納在庭園工作，這時他七十二歲，四年前他把診所賣了，但仍一如往常在六點整起床，輕手輕腳的離開客房（幾年前他就搬到客房住），英格麗特睡得正熟。九月的一個晴朗的上午，晨霧散去，空氣清明中透著涼意，費納拿著鋤頭在灌木叢間鋤草，那是一個辛苦又單調的工作，但是他很滿足，他期待著每天早晨九點半固定的咖啡時間，看著春天種下的飛燕草，他想，晚秋應該會開第三次花。

突然間，英格麗特推開大門，大聲咒罵他又忘了關上客房的窗戶，簡直是個白痴。她的聲音極其刺耳，就像金屬般冰冷。

即使到後來，費納還是無法明確的描述當下他在想什麼，這時他的內心深處，閃現一道尖銳又冷冰冰的光芒，在這道光芒的照射下，一切都再清楚不過了。

於是他央求英格麗特到地下室來，自己則走室外的樓梯。她氣喘吁吁的走進他擺放園藝工具的房間，裡面存放他在過去幾年間搜集到的好用器具，它們依功能和大小，井井有條的掛在牆上、或放在乾淨的白鐵桶及塑膠桶裡，英格麗特很少來這裡。她一打開門，費納二話不說從牆上取下砍樹的斧頭，那是瑞典製的，手工打造，剛上過油且毫無鏽斑。他手上還戴著粗糙的園藝手套，英格麗特沉默下來，呆望著那斧頭，無處可躲。他第一斧就劈中她的頭蓋骨，那是致命的一擊；斧頭續往下劈至腦部，劈開了她的臉，她在倒地前就已經死了。費納費了好大的勁，才把斧頭從頭顱抽出，然後用腳踩住她的脖子，劈下沉沉的兩斧分開頭部和軀幹。法醫的驗屍報告中記錄，費納為了把手和腿部劈開，又落下十七斧。

費納呼吸沉重，他坐在平常照料花草時才用的木頭矮凳上，凳腳浸在血泊之中。費納餓了，不知何時他站起身，在屍體旁脫去衣物，走到地下室庭院邊的洗手台，洗去頭髮和臉上的血跡。他把地下室鎖起來，從室內樓梯進入屋內，穿好衣服，打電話給警察，報上姓名和地址，一個字一個字說：「我把英格麗特剁了，請馬上過來。」這段通話被記錄下來，沒等對方回話，他就掛上電話，他的聲音不帶一絲激動。

幾分鐘後，警車停在費納家門口，沿途沒有鳴笛和閃燈。員警中有位年資二十九年的警察，他的家人都是費納的病人。費納站在庭院門口，把鑰匙交給他並說，她在地下室。這位員警知道，最好什麼都別問，因為費納穿了西裝，但沒穿鞋也沒穿襪子。他非常安靜。

—

訴訟持續了四天。刑事合議庭審判長很有經驗，他認識審判對象費納，也認識英格麗特，如果他認識得不夠透徹，證人們會補充說明。每個人都為費納叫屈，都站在他這邊。郵差說，他認為費納「是一位聖人」，能「承受那些折磨」，簡直就是「奇蹟」。心理醫師認為他長期積怨導致情緒障礙，但未達心神喪失或精神耗弱的程度，不符減輕或豁免刑責之條件。

檢察官具體求刑八年，他費了一番唇舌描述犯罪過程及地下室的浴血場景，然後他指出，費納還有其他選擇，他可以提出離婚。

這位檢察官搞不清楚狀況，費納就是不能離婚。刑事訴訟法最終修正版中，廢除了在刑事訴訟過程中，必須宣誓供詞為真的誓詞。我們早就不相信這種宣誓是有用的，證人若想撒謊，即使宣誓了也不會說實話；況且，也沒有法官會真的認為，宣誓就能改變什麼，誓言對現代人來說根本無關緊要不痛不癢。但是，而且正是在這個「但是」中存在著另一個世界，費納不是現代人，他的承諾是認真的，它貫穿了他的一生，他甚至還成為它的囚犯。費納無法擺脫他的諾言，否則那就是背叛；而暴力行為是他一輩子困在誓言中，所累積的龐大壓力爆發的反撲。

是費納的妹妹請我為她哥哥辯護的，此刻她坐在旁聽席淚流不止，費納從前診所的老護士握著她的手。坐牢後的費納變得更加清瘦，他動也不動的坐在被告席的深色木頭長凳上。

此案在事實面上是無從抗辯的，它值得討論的是屬於法哲學上的層面：刑罰的意義何在？我們為什麼要懲罰一個人？在最後的口頭答辯中，我試著去找到這當中的原因，有許許多多的理論，諸如刑罰有嚇阻的作用、處罰壞人可以保護好人、刑罰可以防止犯罪者再度犯案、刑罰可以彌補被害人。我們的法律整合了這些理論，但沒有一個是真正適用於本案的。費納不會再度殺人，他的確犯了法，但罪行有多重就難以判斷了。再者，法庭該不該扮演復仇者的角色？那是一段長篇答辯，我敘述他的故事，我想讓人們了解，費納會犯下此案，是因為對他來說已經走到絕路了。我不停的說，直到我相信法官懂了我的意思。當有位參審員點頭時，我再度回到座位上。

法院在言詞辯論的尾聲，都會聽聽被告的說法，法官也應將他的話列入考量，費納還有最後的發言機會。他向大家鞠躬，雙手交叉著，他不必靠背誦就能說出那些話，因為那就是他一生的總結。

「我愛我的太太，最後我殺了她，但我一直深愛著她。我答應過她，她永遠是我的妻子，到我死都不會改變。我違背了諾言，只有帶著我的罪過活下去。」

費納回座後，一語不發的盯著地面。整個法庭寂靜無聲，連審判長都顯出心情沉重的樣子。然後他宣布退庭，隔天宣布判決結果。

當天晚上我再次進入監獄探視費納，我們無需太多言語，他拿出一只皺巴巴的信封，從裡面抽出那張他們蜜月旅行的照片，以大拇指撫摸著英格麗特的臉，照片最上層的保護膜早已脫落，她的臉幾乎是一片空白。

——

費納被判刑三年，逮捕令被撤銷，也結束監禁，他可以以開放方式服刑。所謂「開放式服刑」是指受刑人白天可以自由活動，但必須回到拘留所過夜，而前提是其有正當職業。對一個七十二歲的老人來說，要找到新的職業並不簡單。最後他的妹妹想到解決辦法：費納登記的新職業是水果買賣，他可以販售自己種的蘋果。

四個月後，有人送一箱十個大紅蘋果到我的事務所，內附信封中有張紙條寫著：

「今年的蘋果很好。費納」

棚田先生的茶碗

他們在柏林某個學生派對上。派對裡總會有些女孩，對土耳其人聚居的克羅伊茨堡區及新克爾恩區來的男生著迷，理由很簡單，因為他們不一樣。也許吸引她們的是，他們身上有種特有的脆弱敏感。薩米爾這回運氣不錯，那女孩有雙藍色的眼睛，而且很愛笑。

不料她的男友突然現身，薩米爾應該躲開，或是就在大街上一較高下。他不懂什麼叫做「一較高下」，但是他懂什麼是攻擊。他們被人推擠到外面，一名年紀較大的大學生對薩米爾說，對方是業餘拳擊手，而且是大學拳擊賽的冠軍。薩米爾回他：「干我屁事！」雖然他才剛滿十七歲，但已打過超過一百五十場街頭戰，只有少數幾件事會讓他害怕，打架可不包括在內。

那位拳擊手肌肉發達，比薩米爾高一個頭，也壯碩些。他們兩人圍成一圈，正當拳擊手還在脫夾克時，薩米爾便以鞋尖踢中他的睪丸，他的鞋子內側有鋼片貼皮，於是拳擊手蜷縮起來，痛得呼嚕呼嚕叫。薩米爾抓住他的頭髮，把他的頭往下拉，同時以右膝頂他的臉部。即使當時街上很吵，還是可以聽到拳擊手頜骨骨折的聲音，他渾身是血倒在柏油路上，一手放在大腿前、一手擱在臉上。薩米爾向前助跑兩步，一腳踢斷他兩根肋骨。

薩米爾覺得，自己這樣做很公平，因為他沒踢他的臉，而且更重要的是，他沒用刀。這是小事一件，他甚至沒有呼吸急促的感覺。但他非常生氣，因為那金髮女生沒和他一起溜走，而是嚎啕大哭去照顧躺在地上的男人。「他媽的臭婊子！」罵完後他就走路回家。

少年法庭判薩米爾必須接受兩星期的保護管束，並且還得參加反暴力講習。薩米爾很生氣，他試圖向少年監獄的社工人員表示這判決有錯，解釋說是拳擊手挑釁在先，他只是動作比較快罷了。所以這不是鬧著玩，足球可以玩，拳擊可沒有人拿來玩的，法官根本沒搞清楚遊戲規則。

兩星期後尤茲康去接薩米爾出獄，他是薩米爾最好的朋友，今年十八歲，塊頭比薩米爾大、但動作比較慢、臉孔帶著超齡的成熟。他十二歲時就交女朋友，還用手機錄下兩人歡愛的過程，這件事永久確保了他在同儕中的地位。尤茲康的陰莖奇大無比，每當他站上便池，總是會設法讓別人都注意到他的屌子。他一直嚷著要去紐約，雖然他根本從沒去過、也不會說英語，但他為這個城市著迷，只要出門他都一定戴著繡有「N.Y.」字樣的深藍色便帽。他想在曼哈頓開一間附設餐廳和鋼管女郎的夜總會，或是諸如此類的夜店，他無法解釋、也從沒想過為什麼偏偏對紐約情有獨鍾。他的父親一輩子都在燈泡工廠上班，他從土耳其移居德國時，只帶了一只皮箱。兒子就是他的希望，對於紐約的事，他也不懂。

尤茲康告訴薩米爾，他認識了某個人，名叫曼諾力斯，那傢伙有個很好的計畫，但腦袋有點短路。

曼諾力斯來自一個希臘家庭，他們家族在克羅伊茨堡及新克爾恩區開了一排餐廳和網咖。他考過了高中畢業會考，在大學念歷史，還試過販毒。幾年前發生了件不太妙的事，明明包包裡應該放的是古柯鹼，但卻只有紙包著沙。當曼諾力斯拿了錢開車逃離時，買家向他開槍，但對方槍法不精，九槍只有一槍命中，子彈射進他的後腦並卡在裡面。當他撞上警車時，子彈還在他的腦子裡，這還是到了醫院後醫生才發現的，而且此後曼諾力斯就有點問題。手術後，他向家人宣稱，從現在起他是芬蘭人，每年十二月六日芬蘭國慶日都要大肆慶祝，並要開始學芬蘭語，可惜後來還是沒能學會。除此之外，他變得總是丟三落四，也因此他的計畫往往不是真正周詳的計畫。

但是薩米爾發現，終究還是有某種所謂的計畫存在。曼諾力斯的姊姊有個朋友在達勒姆區的別墅幫忙打掃，她急需要錢，於是她邀曼諾力斯闖入這宅邸行竊。她知道警報裝置和電子鎖的密碼，知道保險箱放在哪裡，尤其還知道屋主將會離開柏林四天。薩米爾和尤茲康立刻同意加入。

在行竊前一晚，薩米爾睡得很不好，他夢到曼諾力斯，還夢到芬蘭。當他醒來時是下午兩點鐘，他罵了句「去他媽的法官」，也把女友趕下床。他得在四點整去上反暴力的課程。

接近半夜兩點時，尤茲康去接他們，曼諾力斯睡著了，於是薩米爾和尤茲康在門前等了二十分鐘。天色寒涼，車窗玻璃蒙上一層霧氣；他們走錯路，相互叫囂破口大罵，直到將近三點鐘，才來到達勒姆。他們在車內戴上黑色的羊毛面罩，但面罩太

大，一直從臉上滑落，搞得他們汗流不止，不停搔癢。有團毛線跑進尤茲康嘴裡，他呸的一口將它吐到儀表板上。然後他們戴上塑膠手套，穿過碎石子路抵達別墅的大門。

曼諾力斯在門鎖的按鍵上輸入密碼，大門嘎答一聲應聲開啟，入口處設有警鈴裝置，他也在上頭輸入一串數字，原本紅色的閃燈立刻轉為綠色的。尤茲康不得不大笑起來，「瞞天過海！」他大聲的說。他熱愛這部電影。緊張瞬間解除，大門砰的一聲關了起來，他們佇立在黑暗中。

他們摸黑找不到電燈開關，薩米爾跌下階梯，左邊眉毛撞上衣帽架當場流血；尤茲康絆到薩米爾的腳，然後還抓住他的背免得跌跤，薩米爾則注意保持平衡。曼諾力斯還杵在那裡，他忘了帶手電筒。

漸漸的，他們的眼睛適應周遭的黑暗，薩米爾擦去臉上的血痕，曼諾力斯終於也找到電燈開關。薩米爾和尤茲康堅信，這棟別墅肯定是日式的，因為沒人能住在這種房子裡。有了清潔婦先前詳細的說明，所以他們只花幾分鐘就找到保險箱，他們用鐵橇把它從牆上拆下來並拖到車上去。曼諾力斯還想再回到屋子裡，因為他剛好肚子餓且發現了廚房的位置。他們討論了很久很久，直到薩米爾決定，這麼做太危險了，寧可在半路上找個小吃，但曼諾力斯還是不停的發牢騷。

在新克爾恩區的某個地下室，他們試圖打開保險箱，雖然他們開過保險櫃，但這次難度更高。尤茲康向姐夫借來高功率的電鑽，四個小時後才終於打開。不過他們知道，一切的辛苦都是值得的，因為保險箱裡有十二萬歐元現金、一只錦囊中裝有六支錶，還有一個小小的黑色漆木盒。薩米爾將它打開，盒子內襯著紅色絲綢，裡面還有個古老的小碗。尤茲康覺得這碗很醜想把它丟掉，薩米爾想送給他的姊姊，曼諾力斯還是一直喊肚子餓，因此對一切毫不在乎。最後他們達成共識，決定把碗賣給麥可。麥可自稱為古物交易商，有間掛著大大招牌的小小店鋪，但事實上他是以裝潢打除及舊物回收為主業，而且只有一台迷你卡車，他付了三十歐元買下那只碗。

當他們離開地下室時，薩米爾拍拍尤茲康的肩，再說一次：「瞞天過海」，所有人都哈哈大笑。他們給了曼諾力斯的姊姊三千歐元，託她交給她的朋友；他們每人口袋裡還有約四萬歐元，薩米爾也把錶賣給收購贓物者。他們以為，這次的闖空門輕而易舉又收穫滿滿，應該是沒有任何問題的。

不過，他們這可大錯特錯了。

棚田先生站在臥室，觀看著牆上的破洞。他今年七十六歲，幾百年來，他的家族是促進日本歷史發展的力量，他們積極投入在保險、銀行和重工業等領域。棚田先生沒有吶喊、沒有激動的手勢、沒有口出惡言，只是盯著那個洞。但是他那跟了他三十多年的祕書，晚上回家後告訴妻子，自己從沒看過棚田先生如此震怒過。

當天這位祕書有許多事得辦，警察來到宅邸，也提出許多問題。他們懷疑有人監守自盜，因為警報器被關掉了、大門門鎖也未遭到任何破壞，但是這些懷疑沒有明確的證據，棚田先生非常保護他的員工。現場搜證也一無所獲，地方刑事局鑑識人員也採不到任何指紋、DNA線索則更別提了，因為清潔婦在打電話報警之前，就已徹底打掃過了。祕書非常了解他的老闆，因此面對警方的提問，他的回答簡短又避重就輕。

更重要的是得通知媒體和廣大的收藏家：他們家族擁有這只茶碗超過四百年，要是有人願意出售棚田先生的茶碗，他們將不惜以天價買回，棚田先生只祈求能知道賣家的姓名。

約克街上的美髮店「波寇爾」和其店主同名，櫥窗裡有兩幅已褪色的八〇年代威娜洗髮精廣告的圖片，畫面是一個穿著橫條紋套頭毛衣、髮量超多的金髮美女，和一個留著八字鬍、下巴長長的男士。波寇爾這家店繼承自父親，年輕時，波寇爾還自己剪過頭髮，他的手藝來自家學淵源，不過現在他還經營一些合法的和許多非法的「賭場」。他保留這家店，店內有兩張舒適的美髮椅，他整天坐在美髮椅上邊喝茶邊做生意。這些年來熱愛土耳其甜食的他變胖了，他的姊夫在和美髮店隔三間店面的地方開了一家蛋糕店，並做出全城最棒的油炸蜂蜜蘋果片。

波寇爾生性暴躁殘酷，而且他也知道，這是他的資本。每個人都聽過那個要他吃東西得付帳的老闆的故事，那是十五年前的事了。當時波寇爾不認識那老闆，那老闆也不認識他，點餐後老闆要他付錢，他就把餐點往牆上一砸，然後走到車子打開行李箱，帶著球棒走回店內。後來那老闆右眼瞎了、也失去脾臟和左臂，終其一生都必須以輪椅代步。波寇爾因意圖致人於死被判刑八年，判決當天，那坐在輪椅上的老闆在地鐵站摔下樓梯，摔斷了脖子。於是他出獄後，無論在哪吃飯都再也不必付錢。

波寇爾讀到報紙上這則闖空門的新聞後，打了幾十通電話給親戚、朋友、贓物販子和生意上有往來的夥伴，他知道是誰闖進棚田先生家裡。他派出一名探子，那是個奮發向上的青年，會為他做任何事。這名探子找到薩米爾和尤茲康，說波寇爾要和他們談一談，而且是馬上。

沒多久他們兩人就出現在美髮店裡，波寇爾也沒讓他們久等，早已備妥茶和甜點，氣氛融洽。突然間，波寇爾開始尖叫，抓住薩米爾的頭髮，穿過全店把他拉到角落猛力踩踏，薩米爾沒有還手，提出可以貢獻百分之三十到三分之二的贓款。波寇爾點點頭自言自語，放下薩米爾，拿起他在店裡準備要應付類似局面的木條，轉身毆打尤茲康的額頭。然後他終於冷靜下來，坐回美髮椅上，並把在隔壁房間的女友叫喚出來。

幾個月前，波寇爾的女友還是個模特兒，而且還成為九月份《花花公子》雜誌的封面女郎。她夢想著能走向伸展台，或是在音樂頻道能有機會表現，直到波寇爾發掘她，打倒她的男友並成為她的經紀人為止。他讓她去做豐胸手術、並注射波尿酸豐唇，他稱此為「栽培」。起初，她相信他的計畫，波寇爾也的確用心安排經紀她的模特兒生涯。後來，他覺得這樣太辛苦了，就安排她在迪斯可舞廳表演，然後是脫衣舞，最後則是拍攝在德國不能合法取得的色情片。不知何時，波寇爾替她注射了第一支海洛英，現在她完全依賴他並愛著他。自從在某部影片中，他的朋友把她當成尿壺後，他就不再和她上床。還把她留在身邊只是為了要把她賣到貝魯特（本來人口販賣都是從貝魯特賣往德國，而現在看來，逆向操作也是可行的），終究還是要把幫她美容的錢給賺回來。

她為尤茲康包紮傷口，而波寇爾開了個玩笑，說他現在看起來像印地安人，「懂嗎？印第安紅鬼。」然後他遞上新泡的茶和甜點，命女友退下，繼續談判。最後雙方達成共識，決定贓款對分，手錶和茶碗則歸波寇爾。薩米爾和尤茲康坦承犯錯，波寇爾強調他是對事不對人，道別時他還擁抱薩米爾並熱情的親他。

在他們兩人離開美髮店不久，波寇爾便打電話給華格納。華格納是個偽君子，也是不折不扣的騙子。他身高一百六十公分，皮膚因長年在日光浴室的照射下而變黃，頭髮染成咖啡色、但髮根部分有幾公分的灰白處。華格納住的公寓是八〇年代的樣板，有兩層樓高，臥室設有鏡面衣櫃、羊毛地毯、樓上還有一張巨大的床。樓下的客廳是白色皮沙發、白色大理石地板和白色牆壁組成的風光，茶几是鑽石形狀的。他熱愛所有閃閃亮亮的東西，連他的無線電話都貼滿了玻璃石。

幾年前他就宣告破產，財產都分給親戚，但因為司法的散漫怠惰，所以他還是能不斷舉債。事實上，華格納一無所有，房子是前妻的，健保費好幾個月沒繳了，而且在女友的美容院裡持續積欠的帳單也還沒解決。以前他輕輕鬆鬆賺來的錢，全花在汽車和在西班牙伊維薩島開香檳古柯鹼派對，如今當時和他同歡的銀行家都消失得無影無蹤，而他連為他那輛十年車齡的法拉利換新輪胎的錢都付不起。長久以來，華格納等待著翻身的大好時機，在咖啡館他總是向女服務生點一杯「拿鐵」（譯注：「Latte」在義大利文中為陽性名詞，意為拿鐵咖啡；德文中的「Latte」為陰性名詞，意為木條，在俚語中則指勃起的陰莖。原文的「Latte」一詞為陰性，因此華格納此言含有猥褻的意味），自己覺得很好玩，每次都大聲咆哮。其實，他早就覺得自己的人生毫無意義。

一般的騙子只不過是行騙，華格納在這方面可是技高一籌。他表現出自己是個「從底層奮發向上的柏林青年」，而且還「成功達到目的」。常民百姓對他有一種信賴，他們認為，他雖然粗魯、嗓門大、討人厭，但也因此顯示他是正直又真誠的。事實上，他既不誠實也不正直，根據他的標準，這他做不到。他只是有一種狡猾的小聰明，而且因為自己意志薄弱，因此他也能看到其他人身上的這個弱點。當他覺得自己沒有其他優勢時，就會充分利用別人的弱點。

有時波寇爾會利用華格納，當華格納太狂妄時，他就會痛扁他。上回是因他動作太慢來得太晚，有時甚至只因為有打人的興致，他就會找華格納下手。否則對他來說，華格納不過是垃圾，但他似乎又是做這差事的不二人選。波寇爾早已發現，因為自己的出身和使用的語言，除了親友圈之外，沒人把他放在眼裡。

華格納接獲委託去找棚田先生，並告訴他，可以將茶碗和手錶物歸原主，但細節部分暫先擱置。華格納同意了，他拿到棚田先生的電話號碼，並和他的祕書談了二十分鐘。華格納確認電話並未遭到警方監聽，結束通話後，他非常高興，親暱的撫摸著那兩隻吉娃娃，他為牠們取名為多爾切及加巴納（Dolce & Gabbana），同時想著，到底要怎麼做才能騙過波寇爾呢？

——

絞鍊是一種細長的鐵鏈，末端繫著木頭握柄，它是從中世紀刑具發展而來，直到一九七三年，西班牙用它來執行死刑，至今它仍是一種受歡迎的殺人用具。它的基本構件可以在任何居家修繕材料行取得，價格低廉、便於運送，而且非常好用：把套環從被害人後方套住脖子，用力一拉，對方肯定毫無吶喊的機會，而且很快就會沒命。

在打電話給棚田先生後四小時，華格納家的門鈴響起。他僅將門開一道縫，儘管褲腰上繫著槍枝，但還是救不了他。對方第一擊就正中他的喉頭，使他不能呼吸，直到三刻鐘後絞鍊結束他的生命時，他為終於可以死去而心存感激。

隔天早晨，華格納家的清潔婦將採買的物品放進廚房時，看到流理台內貼著兩節指頭，趕緊打電話報警。華格納躺在床上，雙腿被F形夾鉗緊緊夾住，左膝和右膝分別釘上兩根及三根長鐵釘，絞鍊環繞在脖子上，舌頭伸出口外。他在死前就已失禁，來調查本案的人員紛紛猜測，他到底洩露了什麼消息才會引來殺機。

客廳的大理石地板和牆面之間躺著兩隻狗，牠們肯定是因狂吠不止，打擾到訪客而被踩死。犯罪現場搜證人員試圖在牠們的屍體上採集鞋印，生化分析結果顯示，在其中一隻狗的身上有一小片塑膠袋，凶手顯然在鞋子上套上一層塑膠袋。

華格納喪命之夜後的清晨近五點鐘，波寇爾從他的賭場提著兩桶硬幣到美髮店。他非常疲倦，當他彎腰拿鑰匙開門時，聽到一聲響亮的嗡嗡聲，他聽過那個聲音。他的腦子一時還來不及分辨那是什麼聲音，但當伸縮警棍尾端撞上他的後腦前那百分之一秒時，他知道那是什麼了。

她的女友找他乞討海洛因時，在店裡發現他。他臉部朝下趴在美髮椅上，手臂環抱椅背好像在擁抱椅子似的，雙手則被束線帶綁在椅子下面，他那沉重的身軀就被卡在左右扶手之間。波寇爾全身脫個精光，肛門插著一支折斷的掃帚。法醫在驗屍報告中指出，掃帚木柄插入他體內的力道強勁，連膽囊都被刺穿，波寇爾的背部和頭部，總計有一百一十七處撕裂傷，警棍前方鋼珠擊出的力量，打斷他十四根骨頭。至於何者為致命的一擊，則無從判斷。波寇爾的保險箱沒有被撬開，兩桶銅板也好好的放在大門口沒人動過。他的嘴巴裡含著一枚硬幣，解剖後才發現食道中還有另一枚。

偵查毫無頭緒，在波寇爾店內採集到的指紋，指向新克爾恩及克羅伊茨堡區所有前科犯都有嫌疑；以掃帚動刑顯示有阿拉伯人涉案，且這是特別屈辱人的犯案手法。警方也在周遭逮捕及審問了可疑人士，他們認為是因爭奪地盤引發的殺機，但手上卻毫無證據。在警方的紀錄中，波寇爾和華格納從來不曾有過交集，因此這兩樁謀殺案就事實面來看是沒有關係的。案情研判到最後，只是空有一堆揣測。

波寇爾的店和店前的人行道，被圍上了紅白色封鎖線，警方的探照燈照亮了整個空間。新克爾恩區的居民，只要感興趣的，都在警方還在進行現場搜證工作時，就知道波寇爾是怎麼死的。而此刻，十一點整，薩米爾、尤茲康和曼諾力斯帶著贓款、手錶和茶碗前來，站在波寇爾店前的人群中驚嚇不已。先前他們把茶碗賣給那個古物買

賣商麥可，他則在四條街外冰敷他的右眼。他歸還茶碗，還得賠償他們的損失，烏青的眼睛也算在內，這就是規矩。

曼諾力斯說出了他們的想法：波寇爾生前遭到拷問，而且萬一和他們有關，那他肯定洩露了他們的身分；而且如果這個人連波寇爾都敢殺，那麼他們的性命也難保。薩米爾說，茶碗的事得盡快搞定，其他人均表贊同。最後，薩米爾想到可以找律師來幫忙。

——

這三個年輕人跟我描述事情的來龍去脈，事實上，曼諾力斯費力說著，但他無法專注在故事脈絡上，常常偏離到哲學面向，因此整個過程耗時甚久。然後他們擔心，不知棚田先生知不知道，是誰闖進他家的。他們把錢、手錶和裝著茶碗的漆木盒放在談話桌上，請我幫他們物歸原主。我盡可能精確的登錄所有物品，唯獨錢沒拿，否則那就是洗錢。隨後我打電話給棚田先生的祕書，並約定下午會面。

棚田先生的宅邸位在達勒姆區一條安靜的街道上，大門沒有設門鈴，但有某個看不見的光電感測器會發出訊號，還有一面深色的鑼，就像在禪寺一樣。那位祕書嚴肅而友善，他以雙手指尖遞名片給我，這個舉動實質上是沒有意義的，因為我人已經在那裡，而且也知道他的身分。但是我突然想起，在日本交換名片是一種儀式，於是我也行禮如儀如法炮製一番。他帶我到一間鋪有黑色木質地板且牆壁為土黃色的房間，我們坐在桌子旁的硬式座椅上，除此之外，整個房間空空如也，只有壁龕中擺放一盆深黃色的插花，室內的間接照明使空間顯得朦朧而溫暖。

我打開公事包，把那些物品一字排開。他把手銬放在一個皮質托盤上，那只裝有茶碗的盒子他沒碰。我請他在我先準備好的收據上簽收，但他起身告辭，消失在推門後方。

四周變得寂靜無聲。

然後他回來了，帶著證實收到手銬和茶碗的收據，帶走托盤，又留我一個人在那裡。那只盒子還是一直沒有打開。

棚田先生個子矮小，看起來有幾分乾瘦，他以西方的禮儀歡迎我，看起來心情很好，還跟我描述他在日本的家人。

過了些時候他走向桌子，打開盒子拿出茶碗，一手扶著茶碗底部，另一手則轉動茶碗仔細打量。那是一只抹茶碗，可以用竹刷在碗裡攪拌抹茶粉。那只茶碗是黑色的，色澤深沉的陶片上還上了釉。這類陶製茶碗的工法不是以旋盤製陶、而是手工捏塑，每一只都是獨一無二的。最古老的陶藝學派名之為樂燒，有個朋友曾告訴我，古老的日本就活在這種茶碗裡。

棚田先生小心翼翼的把它放回盒子並說道：「這只茶碗，是長次郎在一五八一年為我們家族打造的。」長次郎是樂燒工藝的創始人。放在紅色絲綢上的茶碗，像是黑色的眼睛凝視著外界。「您知道嗎，從前曾經為了爭奪這只茶碗發生過戰爭。那是很早以前的事了，那場戰爭打了將近五年。我很高興，這次很快就能落幕。」他喀答一聲闔上盒蓋，回聲盈繞在屋內。

我告訴棚田先生，會再把錢送來。他搖搖頭，「什麼錢？」他問。

「您保險箱裡的錢。」

「那裡面沒有錢。」

我一時沒有領會他的意思。

「我的當事人說……」

「如果那裡面有錢的話，」他打斷我的話，「那麼可能是還未稅的。」

「是嗎？」

「還有您得提交收據給警方，警方勢必會提出許多問題，而且我在失物清單中，也沒列出有錢遭竊。」

我們最後約定好由我通知警方，茶碗和手錶已物歸原主。棚田先生當然沒有問我案子是誰做的，我也沒有詢問有關波寇爾和華格納的事。只有警方提問，而我當然可以以保護當事人之名，行使律師的緘默權。

——

薩米爾、尤茲康和曼諾力斯逃過一劫。

薩米爾接到一通電話，請他們前往柏林庫坦大街的一家咖啡館會面。這位接待他們的男士很有禮貌，以手機播放波寇爾和華格納生前最後幾分鐘的影片，並為畫面品質不佳而致歉，還請他們三人享用蛋糕。蛋糕他們完全沒碰，隔天他們就歸還十二萬歐元，而且也知道要還到哪裡，並且付上二萬八千歐元的「費用」，再多他們也湊不出來。這位親切的男士說不必如此，然後就把錢收了起來。

曼諾力斯變低調了，他接掌家族的餐館，結了婚也變安靜了。他的餐館內掛著峽灣和漁船的圖片，也提供芬蘭的伏特加，他還計畫和家人移民到芬蘭。

尤茲康和薩米爾改行從事毒品買賣；他們再也沒有偷過任何不屬於他們的東西。棚田先生那個串通外人來闖空門的清潔婦，早就忘了那檔事。兩年後，她前往位於地中海沿岸的土耳其南部大城安塔利亞度假，儘管當天海面平靜無波，但她在海中游泳時，還是因頭部撞上岩石而溺斃。

後來我還在柏林的音樂會上看過棚田先生，他的座位在我後面四排，當我轉頭時，他沉默但友善的向我致意。半年後他去世了，遺體被運往日本，那棟在達勒姆區的別墅被賣掉，他的祕書也回老家去了。

現在，在東京一家隸屬棚田基金會的博物館內，那只茶碗是眾所矚目的焦點。

後記

當曼諾力斯認識薩米爾和尤茲康時，他被懷疑意圖販售毒品。這種懷疑是毫無根據的，且法庭調出來的電話監聽，也在不久後就斷線。但曼諾力斯和薩米爾的初步接觸還是被錄音下來；尤茲康則是透過手機的擴音器聆聽並參與對話。

薩米爾：「你是希臘人嗎？」

曼諾力斯：「我是芬蘭人。」

薩米爾：「你的口音聽起來不像芬蘭人。」

曼諾力斯：「我是芬蘭人。」

薩米爾：「你聽起來像希臘人。」

曼諾力斯：「那又怎樣？就因為我媽、我爸、我爺爺、奶奶、外公、外婆和所有家族成員都是希臘人，我就得當一輩子希臘人嗎？我可不想這樣。我討厭橄欖樹、黃瓜優格醬和蠢斃了的希臘傳統舞蹈。我是芬蘭人，我身上完完全全是芬蘭人，從裡到外都是。」

尤茲康對薩米爾說：「他看起來還是像希臘人。」

薩米爾跟尤茲康說：「如果他想當芬蘭人，就讓他當吧。」

尤茲康對薩米爾說：「他甚至連瑞典人都不像。」尤茲康在學校認識一個瑞典人。

薩米爾：「為什麼你想當芬蘭人呢？」

曼諾力斯：「因為希臘人的那些東西。」

薩米爾：「……」

尤茲康：「……」

曼諾力斯：「希臘人幾百年來都是這樣的：你們想像一下，有艘船沉沒了。」

尤茲康：「為什麼？」

曼諾力斯：「因為船有破洞或船長喝醉了。」

尤茲康：「但是為什麼船會有破洞呢？」

曼諾力斯：「他媽的，這只是舉例。」

尤茲康：「嗯。」

曼諾力斯：「船就是會下沉，可以嗎？」

尤茲康：「嗯。」

曼諾力斯：「所有人都溺斃了，所有人，你們懂嗎？只有唯一一個希臘人活下來，他游啊游，游啊游，終於游到岸邊，從喉嚨吐出全部的海水，從嘴巴吐出來、從鼻子、從每個毛孔。他吐個半死，最後終於睡著了，他是唯一的生還者。他躺在海灘上睡覺，當他醒來時，知道只有自己活下來，於是站起來四處走動，並打死遇見的第一個人。就是這樣，只有當那個人死了，才能抵消這一切。」

薩米爾：「？」

尤茲康：「？」

曼諾力斯：「你們懂嗎？他得打死另一個人，這樣才表示溺水沒死成的人也死了。那個人是替他死的。少了一個，再補一個。懂嗎？」

薩米爾：「不懂。」

尤茲康：「那個破洞在哪？」

薩米爾：「我們何時碰面？」

大提琴

塔克勒身穿淺藍色晚禮服、粉紅色襯衫，他的雙下巴溢出衣領和領結外，上裝在胸前出現皺褶，但卻被肚子撐得緊緊的。他站在女兒泰瑞莎和第四任妻子之間，她們都比他高。他長滿黑色體毛的手指緊緊握在女兒的臀部，她杵在那裡就像一隻陰鬱的動物。

這場接待會花了一大筆錢，但是他覺得非常值得，因為所有有頭有臉的人都來了：內政部長、銀行家、社會賢達和美女，尤其還有知名音樂評論家。此刻他不願意多想，這是泰瑞莎的宴會。

當時泰瑞莎二十歲，五官比例近乎完美，是典型的纖細美女。她看起來落落大方鎮定沉著，只有脖子上一條細長血管的脈動透露出她的緊張。

父親簡短的致詞後，她在鋪有紅地毯的舞台上入座，開始幫大提琴調音。她的弟弟雷恩哈德坐在她旁邊，準備為她翻琴譜。姊弟倆之間的對比大得出奇，雷恩哈德比泰瑞莎矮一個頭，遺傳了父親的體形和長相，但卻沒有遺傳到他的堅毅。他通紅的臉上冒出一粒粒斗大的汗珠，汗濕了襯衫，衣領邊緣的顏色也因此變深。他對觀眾微笑，友善中帶著怯懦。

賓客們坐在小椅子上，慢慢安靜下來，燈光也變得昏暗。而就在我猶豫是否該從庭院回到大廳時，她開始演奏起來，曲目是巴哈六首大提琴奏鳴曲中的前三首，在幾個小節後，我就明白我再也無法忘記泰瑞莎。在一八七一到一八七三年德國經濟繁榮年代建造的宅邸的廣闊大廳，它高聳的雙扇推門，向著明亮的公園大開，在這個溫暖的夏夜，我體會到只有音樂可以帶給我們的、罕見的、絕對的幸福片刻。

—

塔克勒父子兩代都是建商，他和父親都是聰明又有魄力的男人，在法蘭克福靠著不動產買賣創造財富。他的父親終生都在褲子右邊口袋放一把槍，左邊口袋裝著一把錢，而塔克勒則再也不需要武器。

雷恩哈德三歲時，他的母親去丈夫新蓋的大樓參觀，十九樓恰巧在舉行上樑儀式，不知是誰忘了確認護欄的安全性，於是塔克勒最後看到的妻子，是她擺在身旁立桌上的包包和香檳杯。

接下來幾年，孩子們換過一個又一個「媽媽」，沒有一個待超過三年。塔克勒創造出一個富裕的家，有司機、廚師、一群清潔婦和兩名專門負責庭園的園丁。他沒有時間關心孩子的教養，於是唯一經常待在他們身邊的是一名老護士，也是她一手將塔克勒拉拔大的。她名叫艾塔，身上有股薰衣草的味道，對鴨子情有獨鍾。她住的塔克勒家頂樓，格局一房一廳，牆上就掛有五隻填塞完成的鴨子標本，而她出門非戴不可的那頂棕色呢帽上，就插有兩根野鴨毛。孩子們並不怎麼喜歡她。

艾塔永遠在那裡，長久以來她就屬於這個家。在塔克勒眼中，童年根本就是浪費時間，他幾乎想不起來有任何值得回憶的事，但是他信任艾塔，因為他們教養孩子的原則是一致的。孩子們應該有紀律、且得如塔克勒所說的「不驕縱」，有時候，冷酷也是必要的。

泰瑞莎和雷恩哈德必須自己賺取零用錢，夏天他們在庭園裡挖蒲公英，每挖一株可獲得半分錢，「而且還得是連根拔起的，不然就什麼都沒有。」艾塔說。她算起蒲公英和算錢一樣錙銖必較。冬天他們得清掃門前積雪，艾塔則以公尺作為給錢的基準。

雷恩哈德九歲時，從家裡跑出去，他爬上公園裡的冷杉樹上，等著有人來找他。在他的想像中，先是艾塔然後是父親，他們會難過失望，並為他的離家感到心痛。但是，沒有人有反應。艾塔在晚餐前呼叫，如果他現在不回家，那就什麼都沒得吃，而且還等著打屁股。雷恩哈德放棄了，他的身上沾滿樹脂，回家後還被賞了一耳光。

塔克勒送給孩子的耶誕禮物是香皂和毛衣，只有一次一位和他生意上有往來的友人，因當年賺了很多錢，於是就送給雷恩哈德一把玩具手槍、泰瑞莎一套玩具廚具。艾塔卻把這些玩具收到地下室，「他們不需要這些東西。」她說，而塔克勒連聽都沒仔細聽就附和她的說法。

艾塔認為教養不外是讓這對姊弟吃飯時有規矩、學會說標準德語，並且在其他時間保持安靜。她對塔克勒說，他們不會有好下場，他們太軟弱，不像他或他父親那樣是個真正的塔克勒家族的人。他把這話記在腦子裡。

後來艾塔得了阿茲海默症，智力慢慢退化，人也變得溫和些。她身後把鴨子標本遺留老家的博物館，對館方來說這些根本毫無用處，於是決定將之焚燬。她的葬禮只有塔克勒和兩個孩子參加，回程途中他說：「好了，現在這事也解決了。」

假期時，雷恩哈德會為塔克勒工作，雖然他寧可和朋友出遊，但是他沒錢。這也是塔克勒希望的。他把兒子帶到一處建築工地，交給工頭並且交代要「好好調教」。工頭竭盡所能完成老闆的付託，第二個晚上，雷恩哈德筋疲力竭嘔吐不已。塔克勒又說了，他會習慣這一切的，因為他自己在雷恩哈德的年紀時，有時也和父親睡在工地，就像其他的鋼筋工人一樣，雷恩哈德不應該以為自己「高人一等」。

泰瑞莎假期當然也得打工，她在公司裡的書店工作。和雷恩哈德一樣的是，她只拿到三成薪。「你們不是來幫忙的，你們只有越幫越忙，所以你們的薪水是一份禮物，不是你們賺來的」，塔克勒說。當他們想去看電影時，塔克勒會給他們兩人共十歐元，但因他們還得扣掉公車票錢，因此剩下的錢加起來也只夠買一張電影票，但他們不敢跟父親說。有時塔克勒的司機會偷偷載他們進城，並給他們一點錢——因為他自己也有小孩，而且他太了解他的老闆了。

塔克勒的姊姊也在公司工作，老向塔克勒打小報告。除了她，他們沒有其他親戚。兩個孩子起初對父親是心存畏懼，後來轉為憎恨，最後他和他們漸行漸遠，父子間再也無話可說。

其實，塔克勒沒有看不起雷恩哈德，但討厭他的軟弱。他想，他應該把兒子調教得更堅強，用他的話來說就是好好「鍛鍊」他。雷恩哈德十五歲時，在房間裡掛上一張他和班上同學去看過的芭蕾舞演出的海報，塔克勒氣急敗壞的把它撕了，而且還對他咆哮，要他好好注意不要變成同性戀。而且塔克勒還對雷恩哈德說，他太肥了，這樣他永遠都交不到女朋友。

泰瑞莎則每分每秒都耗在法蘭克福，和一位老師學大提琴，塔克勒不了解她，所以就沒多加干涉。只有一回情況不同。那是個夏天，在泰瑞莎十六歲生日前不久，那天萬里無雲，她光著身子在游泳池游泳。當她走出水面時，塔克勒從池邊站起來，他喝了酒，像盯著陌生人那樣的看著女兒。他拿起浴巾為她擦身體，碰到她的胸部時，他身上散發出威士忌的氣味。於是她奔進屋裡，再也沒去過那個游泳池。

在少有的共進晚餐時刻，他們聊的還是關於手錶、美食和汽車等「他的」話題。泰瑞莎和雷恩哈德知道每款車、每只名錶的價格，這是一場抽象的遊戲。有時父親會給他們看存摺、股票和營運報告，「總有一天，這些都會是你們的。」他說。而泰瑞莎低聲告訴雷恩哈德，這句話是塔克勒從一部電影學來的。「心靈，」塔克勒說，「是個屁。」它沒有任何用處。

這對姊弟倆只有彼此，當泰瑞莎收到音樂學院的入學通知時，她決定要離開塔克勒。她演練了許久，想在晚餐時告訴他，也設想他的反應會如何，還有自己該如何應對。不過她才起個頭，塔克勒就說，今天他沒空，然後就走了。她得等到三個星期後才有機會說。這對姊弟相信，塔克勒應該不至於會打她。她說，他們現在要離開巴特洪堡，泰瑞莎覺得，「離開巴特洪堡」聽起來比直接說要離開這個家好些。她接著說，她會帶雷恩哈德一起走，她可以撐過去。

塔克勒不懂她的意思，繼續吃著他的飯。當他請泰瑞莎把麵包遞給他時，雷恩哈德對他大吼：「你折磨我們夠久了。」泰瑞莎則小聲的說：「我們絕不想成為像你那樣的人。」塔克勒的餐刀掉到餐盤上，發出匡噹的聲音。然後他一語不發站起來，開車去找他的女友，直到凌晨近三點才回家。

這一夜，塔克勒獨自坐在書房，嵌了螢幕的牆上播放著他拍攝的無聲影片，那是用八釐米攝影機轉成的錄影帶，畫面有些曝光過度：

他的第一任妻子手上抱著兩個孩子，那時泰瑞莎大概三歲、雷恩哈德兩歲左右。她的前妻說了些什麼，她的嘴唇無聲的說著，她放下泰瑞莎，指著遠方。鏡頭跟著她的手指向的方向，模糊的遠處有座城堡廢墟，鏡頭再拉到雷恩哈德身上，他躲在媽媽的雙腿後面哭泣。攝影機換人掌鏡時還在持續錄影，石頭和草地因近拍和晃動而變得模糊。鏡頭再度往上拉，塔克勒穿著牛仔褲、胸前襯衫敞開露出胸毛，他笑得合不攏嘴，朝著太陽高高抱起泰瑞莎並親吻她，他對著攝影機招手。畫面變成一片白，影片中斷了。

這一夜，塔克勒決定要為泰瑞莎辦一場離別音樂會，他的關係應該夠強，可以把她「捧上天」，他不想成為糟糕的父親。他開給他們每人超過二十五萬歐元的支票，並在早餐前把它放在餐桌上。他覺得，這樣應該夠了。

——

音樂會隔天，在某家全國性的報紙上，刊登出一則樂觀正面的報導，有位偉大的樂評家證實泰瑞莎會是一位「前途無量」的大提琴家。

泰瑞莎並沒有去音樂學院報到，她相信自己天賦夠好，還可以繼續等待別的機會，現在有其他事更重要。這對姊弟花了將近三年走遍歐美各國，除了在某些私人音樂會表演之外，她只為弟弟彈奏。塔克勒的錢至少讓姊弟倆有段獨立自主的時光，他們形影不離，即使有不愉快也不在意，在那幾年，他們幾乎沒有一天是不和對方共度的。他們看起來自由自在。

——

在她巴特洪堡演奏會的整整兩年後，我在佛羅倫斯附近的一場慶典遇到他們，當時他們在基安蒂區的托納多城堡飯店慶祝，那是一座十一世紀建造的古堡遺址，四周都是橄欖樹、柏樹和葡萄園。主人稱姊弟倆為「黃金新貴」，他們搭著六〇年代的敞篷車前來，泰瑞莎親吻主人，雷恩哈德則幾近過度優雅的舉起他頭上可笑的草帽，那是由義大利巴莎里諾製帽大廠生產的。

當天晚上我告訴泰瑞莎，自從上回她在父親家中的演奏後，我再也不曾聽到那麼動人的大提琴協奏曲，她則回答我：「那是第一號奏鳴曲的序曲，不是每個人都覺得最重要、也最困難的第六號。不，那是第一號。」她喝了口酒，向前屈身在我的耳邊低聲說：「你知道嗎，第一號的序曲能夠在短短三分鐘內表達整個人生的精華。」然後便大笑起來。

——

夏季尾聲，這對姊弟停留在西西里島。他們在一個原料商家裡住了幾天，那商人有棟房子專門在夏季出租，他有點愛上了泰瑞莎。

雷恩哈德睡醒時有點發燒，他想應該是前晚喝了酒的緣故。他不想生病，不想在這麼燦爛的日子、不想在這麼幸福的時間生病。但大腸菌在他體內迅速蔓延，它們就藏在自來水中，那是兩天前他在某處加油站喝下的。

他們在車庫找到一輛老偉士牌機車，便往大海的方向騎去。柏油路上有顆蘋果，是從載水果的車上掉下來的，圓呼呼的它在正午太陽的照射下閃閃發亮，泰瑞莎不知說了些什麼，雷恩哈德轉過頭來想弄清楚，結果前輪輾過蘋果打滑失控，泰瑞莎還算幸運，只有肩膀扭傷和幾處擦傷；雷恩哈德的頭部則撞上一顆石頭，並被後輪輾過當場破裂。

在醫院的第一個晚上，他的傷勢急速惡化，沒有人想到幫他驗血，因為還有其他的事得做。泰瑞莎打電話給她的父親，塔克勒隨即從法蘭克福派遣醫師搭乘公司的里爾噴射機前往支援，但還是晚了一步，在雷恩哈德體內，腎毒素已進入血液之中。泰瑞莎坐在手術室前的走廊上，醫生跟她談話時，握住她的手。冷氣機運轉發出吵雜的聲音，泰瑞莎盯了好幾個鐘頭的窗玻璃，因灰塵積聚而模糊不清。醫生說，雷恩哈德得了敗血症合併多重器官衰竭，泰瑞莎不明白他的話。尿液在雷恩哈德體內排不出來，存活的機率為百分之二十，醫生不停的說，他的話聽起來好遙遠。泰瑞莎將近四十小時沒有闔眼，當醫生往大廳走去時，她閉上眼睛。醫生說到「死亡」，她看到這兩個黑體字出現在眼前。不，這兩個字和她弟弟無關。她反覆說著「不」，其他什麼也不說。

在送進醫院的第六天，雷恩哈德的病情趨於穩定，他可以搭飛機前往柏林。當他抵達歐洲最大的教學醫院柏林夏里特醫院時，他的身體長滿黑色、厚皮狀的壞疽，顯示出細胞組織的壞死。醫生為他動了十四次刀，左手大拇指、食指和無名指被截肢，左腳腳趾、右腳的前足掌，以及後足掌的某些部分也遭切除，剩下的只有變形的軀體，幾乎撐不住任何重量，骨頭和軟骨也向表皮擠壓。雷恩哈德活了下來，醫生施以麻醉藥劑，讓他進入人工昏迷的睡眠狀態，他頭部的傷勢影響程度如何則還有待評估。

海馬是希臘神話中海神波賽東的坐騎，是一隻半馬半蟲的大海怪。在人腦的顳葉有一處叫做海馬迴，即是以牠為名，我們的短期記憶會在那裡轉為長期記憶。雷恩哈德的海馬迴受到損傷，九個星期後，當醫生將他從昏迷狀態喚醒時，他問泰瑞莎，她是誰，然後又問自己是誰。他完全喪失記憶，而且無法記住三、四分鐘以前發生的事。經過無數的測試後，醫生試圖跟他解釋他得了順行性及逆行性健忘症，雷恩哈德剛聽懂了醫生的解釋，但在三分四十秒後就又忘了，當然也忘了他得了健忘症。

當泰瑞莎照顧他時，他看到的只是一個漂亮的女人。

——

兩個月後，這對姊弟獲准搬進父親在柏林的房子。每天會有一位護士來幫忙三小時，其他時間則全由泰瑞莎張羅一切。起初她還會邀請朋友共進晚餐，但後來她無法忍受他們看雷恩哈德的眼光，就再也無人來訪，只有塔克勒每個月會來探望他們一次。

那是段寂寞的日子。泰瑞莎漸漸失去活力，她的頭髮乾枯、皮膚蒼白，某個晚上她從行李箱拿出好幾個月沒碰的大提琴，在半明半暗的房間裡演奏起來，雷恩哈德躺在床上打盹兒，不知何時他掀開棉被開始自慰起來。她停止彈奏轉向窗外，但他要求她到身邊來，泰瑞莎看著他，他坐起來要求親吻她，她搖頭拒絕。他向後倒回床上並說，她至少應該解開上衣。

他右腳結痂的末端像是一塊攤在床單上的肉，她走向他輕撫他的臉頰，然後褪去衣物，再坐回椅子閉上眼睛繼續拉琴。直到他睡著後她才起身，用毛巾擦去他腹部的精液，幫他蓋好被子並親吻他的額頭。

然後她走進浴室嘔吐起來。

雖然醫生認為雷恩哈德要恢復記憶是絕無可能的，但大提琴顯然觸碰到他的內心深處。當她演奏時，她感覺到自己和過去的生活，有一股淡淡的、幾乎感受不到的聯繫，那是一種讓她感到親切、而且非常想念的光輝。雷恩哈德隔天偶爾還會想起大提琴，他會主動說起，即使他無法意識到大提琴和從前的關聯，但在他的記憶中，顯然還是有某些東西是牢牢記住的。從此以後，泰瑞莎每天晚上都會為他拉大提琴，他也幾乎都會自慰，之後她也總是在浴室崩潰痛哭。

最後一次手術的六個月後，雷恩哈德的傷疤開始疼痛起來，醫生判定必須再度截肢，並在做過斷層掃瞄後宣布，他不久後就會喪失說話的能力。泰瑞莎知道自己承受不了這些。

——

十一月二十六日這天是個清冷而灰濛濛的秋日，天暗得很早，泰瑞莎在桌上擺好蠟燭，並把坐在輪椅上的雷恩哈德推到餐桌旁。她煮了他從前愛吃的魚湯，材料是在以販售世界各國美食著稱的高檔百貨公司卡迪威百貨買來的。不論在湯裡、豌豆泥中、煎鹿肉、巧克力慕思和酒裡，都放了安眠藥和巴比妥酸鹽，這都是為了雷恩哈德傷口疼痛，醫生所開的處方藥品，因此她可以輕易取得。她一小口一小口的餵，這樣他才不會嘔吐。她自己則什麼也沒吃，在一旁靜靜等待。

雷恩哈德睏了，她把他推到浴室，將大浴缸注滿溫水，然後幫他脫掉衣物，他幾乎沒有力氣抓住浴缸中新安裝的把手，然後她也脫光衣物進到浴缸裡。他坐在她面前，頭靠在她的胸部，他的呼吸平順。小時候，因為艾塔不想浪費水，所以他們常常一起沐浴。泰瑞莎緊緊抱著他，把頭靠在他的肩上。當他沉睡時，她親吻他的頸後，然後讓他沒入水中。雷恩哈德深深的吸氣，沒有任何垂死的掙扎，安眠藥完全卸除了他的行為能力。他的肺部充滿了水，溺斃了。他的頭擱在她的雙腿之間，眼睛緊閉，長長的頭髮則飄浮在水面上。兩個小時後，她從已變冷的水中起身，取一條浴巾覆蓋她已經去世的弟弟並打電話給我。

她坦承犯行，而且不是只有一張供詞，而是在兩位審訊員面前坐了七個小時，一字一句將她的人生做成筆錄。她敘述整個來龍去脈，從童年開始說到弟弟的死為止，

沒有遺漏任何事物。她保持直挺挺的坐姿，沒有哭、沒有崩潰，只是心平氣和的說著，內容縝密到可以直接出版的程度，完全不需要中途插話提問。當書記官列印她的證詞時，我們在隔壁房間抽菸。她說，現在她再也不想談論這事，因為所有該說的都說了，「我也沒什麼好說了。」她說。

泰瑞莎當然因謀殺罪遭到羈押，我幾乎每天都到監獄看她。她請我寄書給她，自由活動時間也待在牢房裡，她用閱讀來麻醉自己。當我們會面時，她不想談論弟弟，也對即將到來的審判興趣缺缺。她寧可為我朗讀某本書或某些她在牢房中看到的文章。那是監獄中的朗讀時間，我喜歡她溫暖的聲音，但當時我並沒有意會到，她會這麼做是因為沒有其他方式來表達自己。

十二月二十四日我在她那裡待到探視時間結束，我離開時，防彈玻璃門在我身後關了起來。在這個耶誕夜裡，外界看起來一片平和安詳。泰瑞莎被帶回牢房，她在小桌旁坐了下來，提筆寫信給她的父親。然後她把床單撕破，捲成一條繩索，在窗戶把手上上吊自殺。

十二月二十五日塔克勒接到執勤檢察官的電話，他在結束通話後打開保險箱，拿出他父親的手槍，把槍管塞進口中並扣下扳機。

獄方將泰瑞莎的財物存放在寄物室，在我們的刑事訴訟委任狀中註明律師有權收下當事人的物品。有一天，司法部門寄來了一個包裹，裡面是她的衣物和書，我們把她的東西轉寄到法蘭克福給她的姑姑。

但我留下了一本書，她在該書的第一頁寫上我的姓名，那是美國知名作家史考特·費滋傑羅寫的《大亨小傳》。這本書在我的書桌上擺了兩年，我一直沒碰它，直到兩年後我才有辦法拿起來翻閱。泰瑞莎以藍筆標示出她想要朗讀的部分，旁邊還以極小的字體寫下注解。只有一行字是以紅筆標出的，也就是全書的最後一句，而當我讀著它時，她的聲音依然出現在我耳邊：

「於是我們繼續往前掙扎，像逆流中的扁舟，被浪頭不斷地向後推入過去。」

刺蝟

法官在研究室穿上法袍，有位參審員晚到幾分鐘，派出所所長因抱怨牙痛而遭撤換。本案被告是一名粗魯又笨手笨腳的黎巴嫩人瓦立德·阿玻·法塔利斯，從一開始他就保持沉默。證人陳述證詞，受害人有些誇大事實，證物呈堂接受鑑定。這是一樁非常普通的搶案，刑期大約在五到十五年。法官們一致同意：根據被告的犯罪紀錄，判決有期徒刑八年，對於他的犯行及刑事責任毫無疑義。一整天下來，法庭審訊一場接著一場，了無新意，所以也沒什麼值得期待的。

那是下午三點鐘，庭期即將結束，今天就沒有其他的事了。審判長看看證人名單，只剩被告的弟弟卡林必須出庭作證。「好啦，」透過老花眼鏡看著卡林，他心想，「每個人都知道要為親人提出不在場證明。」而對這名證人他也只有一個問題，也就是說，他是否願意作證，證明當華特街的當鋪被搶時，他的哥哥人在家裡。法官盡量簡化他的問題，甚至還問了卡林兩次是否聽懂這個問題。

沒有人會料想到卡林會開口作證，審判長先前勸導他許久，說他是被告的弟弟，法律有明文規定，他可以保持沉默。每個在法庭上的人，包括瓦立德和他的律師，對卡林願意出庭作證都非常驚訝。現在所有人都在等著他的回答，這會影響到他哥哥的未來。法官失去耐性，律師感到無聊，有位參審員一直盯著時鐘，因為他想趕搭五點的火車前往德勒斯登。卡林是本案最後一個證人，在法庭上最不重要的證詞向來是擺在最後的。卡林知道自己在做什麼，他一直都知道。

卡林在一個犯罪家庭中成長，據傳他的伯父在黎巴嫩為了一箱番茄槍殺了六個人，卡林的八個兄弟，個個前科累累，法庭要宣讀他們的前科得花半個小時才唸得完。他們偷竊、搶劫、詐欺、勒索，還犯下偽證罪，只有謀殺和過失殺人兩罪還沒被判過。

幾代以來，這個家族就是堂表兄弟姊妹相互聯姻，當卡林上小學時，老師們哀聲嘆氣：「又來了個阿玻・法塔利斯家的人。」然後他們對他的態度就像對待白痴一樣。他必須坐在最後一排，第一個導師對才六歲的他說，他最好安安靜靜的，不能引人注目、不能打架鬧事，於是卡林就保持沉默。他很快就明白，他不能表現出與眾不同。只要他說了什麼哥哥們不懂的事，他們就會敲他的後腦袋；且當他試著跟同學們（他一年級的班上，因市府致力於族群融合，有百分之八十是外國人）解釋某些事情時，他們就會尋他開心，這還是最好的情況；如果他太突出，他們也會揍他。因此卡林的成績很糟，因為他別無選擇。

當他十歲時，從教師圖書館偷來一本教科書，自學機率、微積分和解析幾何學。但是在寫功課時，他卻要計算出他得算錯幾題才能得到低調的D-。遇到無解的數學題時，他會有種腦子在嗡嗡叫的感覺。對他來說，這是他的幸福時刻。

父親在他出生不久後就過世了，他和其他哥哥、包括二十六歲的大哥，都和母親住在一起。他們在新克爾恩區的房子有六間房，但住了十個人，他年紀最小，被分配到儲藏室。天窗是毛玻璃做的，裡面還有一個松木架，這裡存放的都是不要的東西，像是沒有把柄的掃帚、沒有提把的水桶、不知該配什麼電器的電線等等。在這裡他整天都坐在電腦前，母親以為他和他那些強壯的哥哥們一樣，都在玩電腦遊戲，但他卻是流連在德國古騰堡書庫網上閱讀古典文學。

十二歲時，他最後一次試著要成為和哥哥們一樣的人。他寫了一個程式，突破郵局的電子封鎖，神不知鬼不覺的從數百萬帳號中，各扣百分之一分的歐元。他的哥哥不懂這個他們口中的「蠢蛋」這麼做會有多少進帳，於是又敲了他的後腦袋，還把程式光碟丟掉。只有瓦立德感覺到，卡林會超越他們，於是他開始在粗野的兄弟面前護著他。

卡林十八歲時離開學校，他精心設計，讓自己的成績剛剛好能從實科中學畢業。這在他們家族已經創下紀錄，他跟瓦立德借了八千歐元，瓦立德以為他借錢是為買賣毒品，因此樂於借給他。這時，卡林對證券交易早已瞭若指掌，並透過網路操作外匯，不到一年就賺進將近七十萬歐元。然後他在中產階級居住的區域租了一間套房，每天早晨離開家後，一直繞道確信沒有遭到跟蹤，才進入他的小天地。他親手布置他的窩，添購數學書籍和一部更快的電腦，以操作股票和閱讀來打發時間。

他的家人以為這個「蠢蛋」以販毒為業，對此感到非常滿意。當然對一個真正的阿玻．法塔利斯家的人來說，他太不稱頭。他從不去搏擊俱樂部，但會和他們一樣戴金項鍊、穿顏色鮮豔的緞子襯衫和黑色的軟質皮夾克，會說新克爾恩區的俚語，也因為從沒被逮捕而贏得一絲絲的尊敬，不過他的哥哥仍不當他是一回事。如果有人問起他，他們會說，他是這個家族的沒錯啦，除此之外，他們不會意識到他的存在。

沒有人注意到他的雙重人生。不論是卡林擁有完整的全新行頭，或是他毫不費力就在夜校完成高中畢業考，並且每週兩次在科技大學聽數學講座。他擁有一筆小財富、繳納稅款，還有一個人很好的女朋友，她是文學系的學生，對他在新克爾恩的身分一無所知。

——

卡林看過瓦立德的起訴書，家中所有人都有這份資料，但只有他看懂其中內容。瓦立德闖進一家當鋪，搶走一萬四千四百九十歐元，然後立刻跑回家假裝正在休息，企圖製造不在場證明。受害人報警處理，詳細描述搶匪的模樣；兩名刑警馬上知道，這是阿玻．法塔利斯家的人幹的。但是他們兄弟長相像得出奇，這常常成為他們的救命丹。沒有一個證人能在法庭對質時，分辨出他們的不同，即使監視器錄下他們的身影，也幾乎無法判斷犯案的究竟是誰。

這回警方的動作很快。瓦立德將錢包藏在半路上，把犯案的槍枝丟到施普雷河裡。警察破門而入時，他好整以暇的坐在沙發上喝茶。他身上穿的蘋果綠T恤上有亮黃色的標語「FORCED TO WORK」（被迫工作），他不知道這英文字的意思，但覺得這字看起來很美。警方將他逮捕，他們因「危機瀕臨」而必須採取「極盡破壞之能事的全面性搜索」：他們切開沙發，把抽屜裡的東西全倒在地板上、翻箱倒櫃，連木地板的收邊壓條都從牆面拆開，因為他們揣測贓款會藏在裡面。但是他們一無所獲。

但瓦立德還是遭到羈押，因為當鋪老闆明確的描述出他的T恤。兩名警察非常高興，終於能逮到阿玻．法塔利斯家的人，而且這傢伙至少得吃五年的牢飯。

——

卡林坐在證人席上，朝向法官席看去，他知道如果只是說瓦立德不在場，整個法庭內沒有人會相信他一個字，畢竟他姓阿玻．法塔利斯，在檢警當局眼中這個家族是頑劣的慣犯。每個人都預料他一定會說謊，所以光為瓦立德提出不在場證明是起不了任何作用的，他還是會被關個好幾年。

卡林想到奴隸之子、也是古希臘詩人亞基羅古斯的一句話，這句話也是他人生的中心思想：「狐狸知道很多事情，但刺蝟只知道一件事。」如果法官和律師是狐狸的話，那麼他就是刺蝟，並且學會了刺蝟的防衛求生本領。

「法官大人……」他一開口就啜泣起來。這麼做感動不了任何人，對此他心知肚明，但至少可以吸引別人的注意力。卡林使盡全力，讓自己看起來蠢到容易取信於人。「法官先生，瓦立德整個晚上都待在家裡。」他刻意停頓一下，從眼角看到檢察官寫下要以偽證罪起訴他。

「這樣啊，整個晚上在家……」審判長說並屈身向前。「但是被害人確實指認出瓦立德。」

檢察官搖搖頭，辯方律師則埋頭研究案情。

卡林知道檔案中那些讓被害人指認的照片：四名警察蓄著山羊鬍、配戴腰包、腳上穿著運動鞋，任誰一眼都能看出他們是警察，此外還有瓦立德一人，他比他們高出一個頭、身形是他們的兩倍大、皮膚黝黑、身穿有黃色字體的綠色T恤。一位幾近半盲的九十歲老太太，不在現場就能「明確指認」是他犯案的。

卡林繼續啜泣，並以夾克袖口擦鼻涕，有些還黏在袖口，他看著鼻涕說：「不，法官大人，那不是瓦立德，請您相信我。」

「我再次提醒您，您在這裡說的都必須是實話。」

「我就是這麼做的。」

「偽證罪不輕，您可是得坐牢的。」審判長宣稱。他用卡林的程度來告誡他。

然後他冷靜的說：「如果不是瓦立德的話，那會是誰呢？」他環顧四周，檢察官微笑著。

「是啊，會是誰呢？」檢察官重複這個問題。他捕捉到審判長譴責的眼光，這是他在審訊證人。

卡林表現出遲疑不決的樣子，盡可能拉長時間，他在腦中數到五，然後他說：「伊麥德。」

「什麼？您說的『伊麥德』是什麼意思？」

「那是伊麥德，不是瓦立德。」卡林說。

「到底誰是伊麥德？」

「伊麥德是我另一個哥哥。」卡林說。

審判長驚訝的看著他，連辯方律師都突然清醒起來。所有人都在思索：「難道阿玻．法塔利斯家的人打破慣例，打算陷害另一名家族成員？」

「但是在警察來之前，伊麥德就跑了。」卡林補充說明。

「是嗎？好啦。」審判長開始惱火，「這不是廢話嗎？」他心想。

「他還給了我這個。」卡林說。他知道，口說無憑無法取信眾人。在訴訟前幾個月，他就開始從自己的戶頭提領不同金額的現金，現在這些金額等同於瓦立德搶來的錢，就放在一只咖啡色的信封裡。他把它呈給庭上。

「這裡面是什麼？」法官問道。

「我不知道。」卡林說。

法官撕開信封，把錢拿出來。他沒留意到指紋的問題，不過就算他注意到，在鈔票上也不會採到卡林的指紋。他大聲且慢慢的數著：「這裡是一萬四千九百九十歐元。這是伊麥德在四月十七日晚上交給您的？」

「是的，法官大人，就是這樣。」

審判長思索著，他在想要提出什麼問題來對付這個卡林，然後以略帶譏諷的口吻問道：「證人先生，您還記得，當伊麥德給您這個信封時，他穿什麼樣的衣服嗎？」

「嗯，請您等一下。」

法官席鬆了口氣，審判長放鬆自己向後靠。

「慢一點，在這裡停頓一下，強迫自己停一下——」卡林心想，然後說：「嗯，牛仔褲、黑色皮夾克、T恤。」

「什麼樣的T恤？」

「喔，這我真的不知道了。」卡林說。

審判長滿意的看著他的書記官，他稍後得寫此案的判決書。兩人點頭示意。

「嗯……」卡林搔搔頭。「啊，有了，我想起來了。這件T恤我們每個人都有，是叔叔送給我們的。他用很便宜的價格買到的，就拿來送我們。T恤上面有英文字，意思大概是我們得去工作之類的，很好笑。」

「您說的是您的哥哥瓦立德在照片上穿的這件T恤？」審判長從照片檔案中拿出一張照片交給卡林。

「是的，是的。法官大人，沒錯，就是這件。這件T恤我們有很多，我今天也穿了。但是在照片上的是瓦立德，不是伊麥德。」

「是的，這我也知道。」法官說。

「給我們看一下。」檢察官說。

「終於來了！」卡林心想但口中卻說：「怎麼看?那些都在家裡啊！」

「不，我的意思是，你現在穿在身上的。」

「真的要現在看嗎？」卡林問。

「是的，沒錯。」法官說。

當檢察官也嚴正的點頭示意時，卡林聳聳肩，盡可能看似無所謂的拉開夾克拉鍊敞開胸前，他身上穿的，和檔案照片中瓦立德所穿的正是相同的T恤。上週他在克羅伊茨堡某家影印店訂製了二十件，發給每個兄弟後，還在母親家裡存放了十件，萬一再來一次搜索就可派上用場。

庭訊暫時中斷，卡林被請出門外，在關上門前他聽到法官對檢察官說，現在只有證詞，沒有進一步的證物。「第一回合進行順利。」他想。

當卡林再度被召喚進去時，他們問他是否有犯罪紀錄，他加以否認；而檢察官也調閱相關資料，確認卡林的說法無誤。

「阿玻．法塔利斯先生，」檢察官說，「您應該很清楚，您的供詞指證伊麥德有罪。」

卡林點點頭，面有愧色的低頭看著他的鞋子。

「為什麼您要這麼做呢？」

「因為，」現在他甚至有點結巴，「瓦立德也是我的哥哥。我是最小的，他們都說我是笨蛋。但是瓦立德和伊麥德都是我的哥哥。您懂嗎？但如果是伊麥德做的，瓦立德就不該為他坐牢。最好的情況當然是，如果是個完全不相干的人，也就是不是我們家的人做的……但是，他還是我的兄弟，是伊麥德。」

這時卡林使出最後一擊。

「法官先生，」他說，「真的不是瓦立德，的確，瓦立德和伊麥德看起來很像。您看！」他從油漬斑斑的錢包裡，翻出一張皺巴巴的照片，全家九個兄弟都在影中，他粗魯的把照片直接貼近到審判長鼻子前。審判長接過手後，悻悻然將它放在桌上。

「這個，這邊第一個是我，法官大人，第二個是瓦立德，第三個是法洛可，第四個是伊麥德，第五個是……」

「我們可以保留這張照片嗎？」公設辯護人打斷他的話，那是一位年長又親切的律師，對他來說，突然間，本案好像不是那麼毫無希望。

「如果您以後會還給我的話，那您就可以暫時留著，這照片我只有一張，那是大概半年前，我們為在黎巴嫩的哈莉瑪姑媽拍攝的，所以才會所有九個兄弟都到齊，您知道嗎？」卡林看著法庭內所有參與訴訟的人，想確認他們是否懂他的意思，「這樣姑媽才能一次就看到所有人。後來我們還是沒寄，因為法洛可說他看起來很蠢……」卡林又看一次照片，「這張他看起來真的很蠢，這個法洛可，他一點都不……」

審判長示意他到此為止。「證人先生，請您回到位子上。」

卡林坐回證人席並再次複誦：「所以我再說一遍，法官先生，照片上第一個是我，第二個是瓦立德，第三個是法洛可，第四個是……」

「謝謝，」法官不耐煩的說，「我們都知道了。」

「哎呀，每個人都會搞錯，在學校時就有老師分不清楚他們兩個。有一次在生物的分組作業時，因為瓦立德的生物很爛……」卡林絲毫不受影響繼續說。

「謝謝。」法官大聲的說。

「不，生物作業的事我還沒說完……」

「別再說了。」法官說。

卡林以證人身分被飭回後走出法庭。

當鋪老闆坐在旁聽席，法官已經聽過他的證詞，但他想了解審判過程，畢竟他是受害者。現在他再度被傳喚上前，那張九兄弟的合照攤在他眼前。他知道犯案的是「第二個人」，這傢伙是他必須要指認的。於是他說（後來他覺得說得太快了），犯案的「當然是照片上第二個人」。他毫不遲疑，是的，完全沒錯，「是第二個」。整個法庭靜了下來。

這時，卡林在門外盤算著，法官要多久時間才能了解全局。不消多久時間，審判長即決定再度訊問當鋪老闆。卡林等了整整四分鐘後，未經傳喚便逕自步入法庭，他看到當鋪老闆在法官席前看著他們的家族照，一切都照著他的計畫走。然後他大聲的叨唸著他忘記了，請大家再聽他說一次，拜託大家，只要一下子就好，這非常重要。

審判長不喜歡訊問被這樣打斷，惱火的說：「好啦，又怎麼了？」

「對不起，我弄錯了，法官大人，我犯了一個很愚蠢的錯誤。」

卡林馬上又吸引了整個法庭的注意力，大家都以為，他要收回對伊麥德的指控，因為諸如此類的事總是不斷發生。

「是這樣的，法官大人，『伊麥德』才是照片上第二個人，瓦立德不是第二個、是第四個。對不起，我剛才糊塗了，真是不好意思。」

審判長大搖其頭，當鋪老闆面紅耳赤，辯護律師露齒而笑。

「第二個，是嗎？」法官怒氣沖沖的說。「所以第二個……」

「是的，是的，第二個。您知道，法官先生，」卡林說，「我們在照片後面有寫上誰是誰，這樣姑媽才會知道，因為我們這麼多兄弟，姑媽不認得我們每個人，但又想看我們，可是她因為入境等問題又不能來德國。法官先生，請翻到照片背面。您看到了嗎？上面按照順序寫上所有人的名字，也就是在照片的另一面。那，我什麼時候可以拿回我的照片？」

——

在從照片檔案中取得伊麥德的照片，加以比對後，法庭只有釋放瓦立德。伊麥德遭到羈押，但是他能夠藉由入出境戳章證明，案發時間他人在黎巴嫩。這點卡林當然非常清楚。於是，伊麥德也在兩天後被釋放。

最後檢察官針對卡林是否未經宣誓而做虛假陳述、並對伊麥德不實指控展開偵查。卡林告訴我整個故事，我們決定未來他將行使緘默權，他的兄弟也可因近親而有權拒絕作證。到頭來，卡林即使涉嫌重大，但因檢察官手上沒有任何證據，因此不能判他有罪。案情的進展完全在他的預料之中，他不可能會遭到起訴，因為存在太多其他可能性，例如瓦立德可能把錢交給伊麥德，或是他們其中一個兄弟拿著伊麥德的護照出境，畢竟他們兄弟外表非常相似。

當然他們又猛打卡林的後腦袋，他們不知道是卡林救了瓦立德並且還重重打擊了司法。

卡林不說話，他在思考刺蝟和狐狸的問題。

幸運

她的客人在二十五年前進入政壇，他邊脫衣物邊述說自己是如何發跡的。他自己貼海報，在一些酒館後面的小房間發表演講，建立起自己的支持群眾。即使在政黨候選人名單上只是排名中間，卻也三度當選，他說他交遊廣闊甚至還主持某個調查委員會，當然那不是什麼重要的委員會，但他畢竟是主席。他穿著內衣褲站在伊莉娜面前，她不知道什麼是調查委員會。

這個胖男人覺得房間太擠，他汗流浹背。今天他得利用早上的時間來嫖妓，十點整他有一場會議要開，這個女生說可以趕上沒問題。床看起來很乾淨，而且她也很美，她不會超過二十歲，胸部很漂亮、嘴唇豐厚，和多數來自東歐的女生一樣，也是濃妝豔抹。他先仔細的把衣物整齊的攤在椅子上，對他來說要確保衣物不會產生皺褶，這很重要。接著他從信封拿出七十歐元後便坐在床上，女孩脫下他的內褲，把他腹部的肥肉卷往上推，他看到的只有她的頭髮，而且他知道她需要很長的時間，「現在是她的工作了。」他心想，然後整個人往後躺。這個胖男人最後的感覺是胸部刺痛，他想舉手跟女孩說別做了，但他做不到，只有發出呼嚕聲。

伊莉娜以為這呼嚕聲是對她的讚許，便又繼續做了幾分鐘，直到她意識到這男人完全無聲無息為止。她往上一看，他的頭偏向一邊，口水直往枕頭上流，歪眼盯著天花板。她喊他，但他還是一動也不動，於是她去廚房拿了杯水倒到他臉上，男人還是沒有反應。他的腳上還穿著襪子，他死了。

—

伊莉納在一年半前來到柏林，如果可以選擇，她寧可待在自己的國家，她在那裡上幼稚園、唸小學，家人、朋友也都住在那裡，對她來說，那裡的語言就是家。伊莉娜在家鄉是個裁縫師，她有間漂亮的房子，裡面家具、書籍、CD、盆栽、相本應有盡有，還有一隻她收養的流浪貓，只要看到她就會朝她飛奔而去。對未來她很樂觀，也非常期待。她還設計女裝，有些已縫製完成，甚至還賣出兩件。她的草圖筆觸輕盈但一目瞭然，她夢想著能在主街開家小小的店。

但她的國家發生戰爭。

某個週末她到鄉下去投靠哥哥，他繼承了父母的農場，因此可以不用當兵。她說服他到農場旁的小湖畔走走，在下午溫和的陽光下，她坐在木頭小橋上，說著她的計畫並攤開新畫的設計圖冊給哥哥看，他非常高興，拍拍她的肩膀表示讚許。

他們回家時，士兵們守在農場，他們先槍斃她的哥哥再強暴了伊莉娜，就是這個順序。士兵共有四人，其中一個坐在她身上時，朝她的臉上吐痰並毆打她的眼睛，於是她失去反抗能力。他們走後，她躺在廚房的餐桌上，以紅白花紋的桌巾裹住自己，閉上眼睛，希望永遠不必再張開。

隔天早上她再度走到湖邊，她以為要把自己淹死很簡單，但是失敗了。當她再度回到湖面時，張大嘴巴吸氣，肺部瞬間充滿了氧氣。她裸身站在水中，放眼望去只有岸邊的樹、蘆葦和天空，於是放聲大喊，直到精力耗盡，她為哥哥的死和心底的孤寂及傷痛而吶喊。她知道，她會活下去，但她也知道，這裡不再是她的家。

一星期後她埋葬了哥哥，那是座釘有木製十字架的簡陋墳墓。神父祝禱時提到犯罪及寬恕，而鎮長卻盯著地板雙拳緊握。伊莉娜把農場的鑰匙給了鄰居，也把僅剩的少量牲口和屋內所有物品都送給對方。然後她帶著小小的行囊和包包，搭乘巴士前往首都。她頭也不回，連設計圖冊也沒帶走。

她在街上和酒館打探能讓她偷渡到德國的方式。仲介人很聰明，他拿走她所有的錢，他知道她在尋找安全感，因此也必須為此付出代價。他遇過許許多多像伊莉娜的女生，她們都是很好的客人。

伊莉娜和其他人搭乘小巴士前往西方，兩天後車子停在森林中的空地。他們下車後在黑夜中疾走，那個帶他們穿越溪流、走過沼澤的男子話不多，而當他們精疲力盡走不動時，他說，現在已在德國境內，接著有另一部巴士來載他們到柏林。車子停在市郊的某處，天氣寒冷又霧氣濛濛，伊莉娜累了，但是她相信，現在她安全了。

接下來幾個月她認識了許多同鄉，有男有女，他們跟她介紹柏林當局和法律等等。伊莉娜需要錢，她不能合法打工，甚至連人在德國都是不被允許的。最初幾個星期有女同鄉幫她，她站在庫坦大街，了解口交和性交的行情。她對自己的身體越來越陌生，對她來說，那只是生財器具。她想活下去，即便她不知道為什麼。她失去了對自己身體的感覺。

———

他天天都坐在人行道上，當伊莉娜坐上男人的車時，總會看到他；而她在一早回家時，也都會看到他。他在身前擺了個塑膠杯，有時過往行人會丟些錢進去。她習慣他的注視，他總是在那裡。他對她微笑，幾個星期後她也回以微笑。

入冬時，伊莉娜帶了件在二手店買來的棉被給他。他開心的說：「我是卡勒」，然後讓他的狗坐在棉被上，並幫牠裹好被子，輕搔牠的耳後，自己還是蹲坐在幾張報紙上。他的狗暖和起來，而他還是穿著薄薄的褲子凍得發抖。伊莉娜雙腿顫抖，她坐在角落的長椅上，膝蓋併攏把頭埋在其中。她今年十九歲，一年來沒有人擁抱過她，她痛哭起來。自從在家鄉被強暴的那個下午後，這是她第一次哭泣。

當他的狗被車輾斃時，她剛好站在對街。卡勒跑到馬路上，在她眼中像是以慢動作播放的畫面，他在那輛車前跪了下來，並把狗抱在懷中，走到街道中間，任憑汽車駕駛怎麼呼喊，他還是不回頭。伊莉娜跑向他，她了解他的傷痛，突然間她領悟到，原來他們有著相同的命運。他們一起在市區的公園內埋葬了他的狗，伊莉娜握住卡勒的手。

一切就是這麼開始的。不知何時他們決定要試著在一起，伊莉娜搬出她那間供膳宿但老舊的房間，找到一間公寓套房，先添購了洗衣機、電視機，再慢慢購足所有物品。這是卡勒自十六歲被趕出家門後的第一個住所，在這之前，他都睡在街上。伊莉娜幫他理髮、買褲子、T恤、毛衣和兩雙鞋。他找到發傳單的工作，晚上還在一家酒館幫忙。

現在伊莉娜不必待在街上，男人會到她家裡來。當她和卡勒早上在家時，會從櫃子裡拿出專屬兩人的床單鋪好，兩人緊緊相擁，赤裸裸的躺在一起，一語不發且動也不動的，聽到的只有對方的呼吸聲，他們把世界關在門外，關於過去，他們從來不談。

——

伊莉娜害怕這個死掉的胖男人，也怕自己會因此被拘留及驅逐出境。她想去找朋友，然後在她家等卡勒回來，便急匆匆拿著包包跑下樓，把手機忘在廚房沒帶走。

一如每個早晨，卡勒騎著後掛小拖車的單車來到商業區，但往常分派工作給他的男人今天沒有工作派給他。卡勒騎車回家得花三十分鐘，然後搭電梯上樓。他感覺好像聽到伊莉娜的鞋子踩在樓梯上的聲音，當他打開房門時，她剛好衝出樓下大門往公車站走去。

卡勒坐在木製座椅上，盯著這個死去的胖男人和他那白得發亮的內衣，地板上散落著他帶回來的小麵包。這時是夏天，房間裡非常溫暖。

卡勒試著集中心思，他想著伊莉娜會被關，然後被遣返，也許這個胖男人打了她，她不會無緣無故就這麼做的。卡勒回想起他們搭火車到鄉下出遊的那天，在盛夏豔陽下他們躺在草地上，伊莉娜像個孩子似的。那時他好幸福，現在他覺得是他該付出的時候了。卡勒還想到他的狗，有時他會去公園牠的葬身之處，查看有沒有什麼改變。

半個小時後，卡勒就知道這不是個好主意。他全身上下只穿著內褲，汗水和著浴缸裡的血。他用塑膠袋套住男人的頭，在這過程中他不想看到他的臉。起初他試著把骨頭切開，但這麼做是錯的。後來他才想到人們怎麼剁雞肉的，於是他從肩膀處轉動胖男人的手臂，這下簡單些了，他只需要切開肌肉和筋絡。不知何時胖男人的手臂已被卸下來，攤在鋪有黃色磁磚的地板上，但他的錶還戴在手腕上。卡勒轉身朝著馬桶，又吐了一回，他把洗臉台放滿水，讓頭沉入水中並好好的漱漱口，冰冷的水使他的牙齒酸痛，他盯著鏡子，不知自己站在鏡子前或鏡子後方。在他面前的男人必須換個位子，這樣他才能行動。洗臉台的水滿溢出來、落在他的雙腳上，卡勒清醒過來，又跪下來拿起鋸子繼續鋸。

三小時後，他終於把男人的四肢肢解下來，然後他去日用品店買來黑色垃圾袋，結帳時店員以奇怪的眼神看著他。卡勒試著不去想該怎麼處理男人的頭部，他下不了手。「但如果不把頭切下來，就沒辦法把他弄上拖車，」他想，「我就是做不到。」他走出商店，人行道上有兩位家庭主婦在閒聊，市郊電車從旁呼嘯而過，有個男孩把一顆蘋果踢過對街。卡勒生氣了，「我本來就不是殺人犯！」他在經過一台嬰兒車時大聲說道，推著嬰兒車的媽媽轉過頭來看著他。

他打起精神振作起來，鋸子的把手鬆脫，卡勒切到手指，像個孩子似的大哭，鼻涕在鼻孔下方形成一個泡泡，他閉上雙眼邊哭邊鋸、邊哭邊鋸。他把胖男人的頭顱夾在腋下，塑膠袋變得又濕又滑，而且一再從他手中滑落。當他終於把頭鋸下來後，才發現他的頭有多重。像一袋烤肉用的木炭，他心想，也很驚訝自己居然會想到木炭，因為他從沒烤過肉。

他把大袋子拖進電梯，並用它來擋住電梯門，防止電梯自動關閉，然後再去搬其他的袋子。內容物雖重，但垃圾袋撐得住，他用雙層袋子裝軀幹，把後掛拖車的單車騎進大門內，沒有人注意到他。總計四大包黑色的垃圾袋，只有裝著手臂的那包卡勒得放進背包內，因為拖車已滿載，硬是放進去還是會掉出來。

出門前卡勒換上乾淨的襯衫，他得花二十分鐘才能騎到公園。他想到胖男人的頭顱、稀疏的頭髮和手臂，感覺到背包中他濕答答的手指。終於到了公園，他停車把背包摔在地上，自己倒在草地上，期待有人跑向他並對著他大喊，但是什麼都沒發生，統統都沒發生。

卡勒躺在那裡，望著天空靜靜等著。

他把胖男人葬在公園裡，圓鍬的握把斷了，他跪下來直接用手握住圓鍬鐵鏟部位，在離他死去的狗僅幾公尺處，挖出一個坑洞，並把所有袋子全塞進洞裡，但洞挖得不夠深，於是他在垃圾袋上猛踩，試圖讓洞口看似平整。他剛換的襯衫處處污泥，手指又黑又沾滿血跡，皮膚也開始發癢。他把圓鍬丟進垃圾桶，然後在公園的長凳上坐了將近一個小時，看著那群在玩飛盤的大學生。

——

當伊莉娜從友人處回家時，床上空空如也，但椅子上還掛著胖男人的西裝和皺掉的長褲，她看到浴缸後摀住嘴巴，以免控制不了自己大叫起來。她也馬上就意會到，卡勒想救她，這麼一來，警察一定會找上他，他們會以為他殺了那個胖男人。任何凶殺案德國人都能破，電視報導一天到晚都在播，她心想。卡勒也會被關進牢裡。胖男人西裝裡的手機不停的響，她必須採取行動。

於是她走進廚房打電話報警，警察幾乎聽不懂她說的話。他們抵達時，看到浴室的場面便逮捕她；他們問她屍體在哪，伊莉娜無言以對，她只是不停的說，那個胖男人是「自然」死亡的，因為他的「心臟死了」，警察當然不相信她的話。當她戴上手銬被帶到屋外時，卡勒剛好到家。她看著他搖搖頭，卡勒不懂，下車跑向她，但又跌了一跤，警方也將他逮捕。後來他才說，這樣很好，反正他也不知道，如果沒有伊莉娜他能做什麼。

卡勒不發一語，他學會了沉默，過去他常因竊盜罪進出監獄，所以監獄生活嚇不倒他。他在獄中聽過我的名字，因此請我為他辯護。他想知道伊莉娜要面對的刑責，他自己則無所謂。他說他沒錢，所以要我把心力放在為他女友辯護。

如果卡勒全盤托出，他就能得救，但是他的可信度不足。他只是一直追問，他的坦白會不會傷害到伊莉娜。他緊緊抓住我的手臂，不停發抖，他說，他不要犯下任何會傷害到伊莉娜的錯誤。我安撫他並承諾會為伊莉娜找一位律師，他才勉強同意。

他帶警方到公園，站在旁邊看著他們挖出胖男人的屍體並辨識身體各部位，還告訴警察他埋葬狗兒的地方，不過他們誤會了他的意思，也把狗骨頭挖出來，於是他們面面相覷一臉疑惑。

法醫確認，所有的傷口都是在死後才加工的；針對男人心臟的化驗結果顯示，毫無疑問的，他是死於心肌梗塞，沒有他殺的可能。因此，也解除了他們謀殺的嫌疑。

最後，有爭議的部分在於分屍上。檢察官欲以妨害死者安寧的罪名起訴卡勒，因為法律上有明文規定，嚴禁對屍體施以「不法行為」。檢察官指出，被告將屍體肢解再掩埋，屬嚴重的違法行為。

檢察官言之成理，但需考量被告犯意，這才是本案徵結之所在。卡勒肢解屍體的目的是要營救伊莉娜，而不是要褻瀆屍體。「這是出於愛情而從事的不法行為。」我說，並提出聯邦法院曾做出有利於卡勒的判例。檢察官揚起眉毛，把卷宗闔上。

伊莉娜和卡勒解除羈押當庭釋放。伊莉娜在律師的協助下提出申請，住進收容中心，但在通過申請前可以暫時待在柏林。她沒有被遣返。

——

他們坐在床上緊緊依偎著，櫃子門上的鉸鍊在搜索時被拉斷了，斜掛在門軸上，除此之外，沒有任何改變。伊莉娜握著卡勒的手，往窗外看去。

「現在我們得做點別的事」，卡勒說。伊莉娜點點頭心想，他們倆真是幸運！

夏令

康素艾拉想著孫子的生日，她今天得去買掌上型電玩。七點起輪到她值班，在飯店打掃房間不輕鬆，但卻是一份穩定的工作，而且比她之前從事的工作都來得好。飯店付的薪資比法定工資標準高一點，那是全柏林最好的飯店。

只剩下二三九號房還沒打掃，她在工作表上填上時間。她的薪水是以打掃的房間數計價，但是飯店管理處要求要填寫此表，而只要是管理處的要求，康素艾拉都會照做，因為她不能丟掉這份工作。她在工作表上寫下：三點二十六分。

康素艾拉先按門鈴，沒人開門，於是又敲敲門，等了一下還是沒人應門，便解開電子鎖，並把門開啟約手臂寬，如同她受訓時學到的，她大聲的說：「打掃房間」。還是沒聽到回覆，她便步入房門。

這間套房約有三十五平方公尺，以溫暖的棕色色調為主，牆壁以米色的布料裝飾，鑲木地板上鋪著一張明亮的地毯。床上凌亂不堪，床頭櫃上放著一瓶打開的水瓶，兩張橘紅色長椅間躺著一名赤裸的年輕女子。她的胸部外露，但頭部被遮蓋住。在淺色地毯的邊緣有血跡滲進羊毛纖維，形成紅色鋸齒狀的圖案。康素艾拉屏住呼吸，心臟急速跳動，她小心翼翼的往前走兩步，想看看女子的臉，然後就傳出她的大叫聲。在她面前的是一團血肉模糊的臉，摻雜著碎骨、頭髮和眼睛，部分的白色腦漿噴到深色的鑲木地板上，而她每天擦拭的那座沉重的鐵製燈座，則沾滿鮮血，壓在死者的臉上。

——

阿巴斯鬆了口氣，此刻他把一切和盤托出，史蒂芬妮坐在他身旁哭泣。

他在夏蒂拉長大，那是貝魯特的一處巴勒斯坦人的難民營。那些有波浪鐵皮門的營房、外牆有彈孔的五層樓房以及老舊歐洲車之間，就是他的遊樂場。孩童穿著運動服和印有各種西方文字的T恤，儘管天氣炎熱，五歲大的女孩還是得包著頭巾。他們有熱麵包吃，用薄薄的紙片包著。阿巴斯是在大屠殺四年後出生的，黎巴嫩基督教民兵組織傷害數百人，非死即殘，女人遭到強暴，連孩童也被射殺。受害者不計其數，無形的恐懼如影隨行。有時，阿巴斯會躺在黏土土質的街道上，試圖計算那些劃破天空、在房舍間拉起但又纏繞難解的電線和電話線數量。

他的父母付了一大筆錢給人口走私販，希望他能在德國有新的人生。當時他才十七歲，當然得不到庇護，也沒有工作許可證。他以政府的救濟金維生，除了民生必需外不得有其他花費。他不能去看電影、不能去麥當勞，既沒有手機也沒電視遊樂器。阿巴斯的德語是在街上學的，他長得很帥但卻沒有女朋友，即使有，他也沒錢請她吃飯。他只有自己，整日無所事事，有整整十二個月都在對鴿子丟石頭，在收容所看電視或在庫坦大街上閒蕩。他無聊得要死。

不知何時他開始行竊，當然也被逮個正著，經少年法庭法官三次勸誡後，他首度被判刑。那是一段美好時光，在監獄裡他認識很多新朋友。當他出獄時，他明白了某些事。他們告訴他，像他這樣的人（而且在那裡還為數不少）只有從事販毒一途。

這事很簡單，有位不再上街販毒的大盤商雇用他，他的地盤和其他兩人共享，是一處捷運車站。起初他只是個「人體運毒犯」，也就是充當毒品的保險櫃，把分成小包裝的毒品藏在嘴巴裡；另一個負責買賣談判，第三個人則負責取款。他們稱此為工作。

毒癮犯會要求要「紅中」或是「白板」，他們以十或二十歐元紙鈔付款，這些錢不是偷來的、乞討來的，就是賣淫賺來的。毒品交易得極快速進行，有時會有女人願意為毒販獻身，如果有青春貌美的，阿巴斯就會隨手取用。起初他對諸如此類的事很感興趣，因為女生會做所有他要求的事。後來她們眼底的貪婪讓他不快，因為他發現她們真正想要的不是他，而是他夾克裡的毒品。

如果警察來了，他就得逃。他很快就學會怎麼認出警察，他們即使穿便服也有統一的格式：運動鞋、腰包和長及臀部的夾克，而且髮型看起來都一樣。而當阿巴斯快跑時，就把裝在玻璃紙袋的毒品嚥下去。如果在他們逮到他之前順利吞下，那麼舉證就有困難，有時警方會祭出催吐劑，然後好整以暇坐在一旁等候，直到他把毒品包吐在一只濾網上。偶爾他的朋友也會因胃酸太早溶解玻璃紙而中毒身亡。

這門生意要求手腳要快，雖然危險但獲利可觀。如今，阿巴斯有錢了，他固定會寄大筆金錢回家，再也不會感覺無聊，現在他愛的女人叫史蒂芬妮，他在迪斯可舞廳跳舞時觀察了她好久，而當她轉身面向他時，這位縱橫大街小巷的大毒販居然臉紅了。

她對他的毒品生意當然一無所知。阿巴斯早晨會在冰箱上留一封情書給她，他對朋友說，當她喝水時，他好像可以看到水如何流過她的咽喉。她就是他的故鄉，除了她之外，他一無所有。他想念母親、想念姊妹和貝魯特的星星，也想起他七歲時，因在水果攤偷了一顆蘋果，而被父親打耳光的場景。「我們家不出小偷。」父親說，並帶著他到水果商那裡付清那顆蘋果的錢。阿巴斯想當修車技工，或畫家、木匠或其他某個職業，但他卻成了毒販。而現在，他卻連毒販也不是了。

一年前阿巴斯第一次踏進賭場，起初他只是陪朋友去，他們的言行舉止表現得好像他們是〇〇七電影主角詹姆斯·龐德似的，還幼稚的繞著漂亮的服務生胡鬧。後來即使所有人都極力勸阻他，他還是去。那些賭博機令他著迷，不知何時起他開始和它們對話，每個角色都有自己的個性，它們變成決定他命運的神，他知道自己上癮了。從四個月前他就天天輸，連在睡夢中他都還聽到賭博機預示中獎的旋律。他什麼都不能做，他必須賭。

他的朋友不再帶他去販毒，對他們來說，他是個成癮的人，和他們的客戶、也就是毒蟲沒啥兩樣。到頭來，他會偷他們的錢，他們知道他的未來，而他也知道他們是對的。但，這還不是最糟的。

最糟的是遇見唐尼格。阿巴斯向他借錢，金額是五千歐元，但得還七千。唐尼格很友善，他說，每個人總會有困難的時候。阿巴斯也不緊張，他肯定會再把這筆錢押下去，人總不可能一直輸。但他錯了。該還錢當天，唐尼格來了，伸出手假裝要和他握手，說時遲那時快，唐尼格從包包中拿出一把夾鉗，阿巴斯看著夾鉗握把處包覆著黃色塑膠，在陽光下閃閃發亮，然後他的右手小指瞬間落地，整個人也倒在人行道邊。當他痛得哀嚎時，唐尼格給他一條手帕並告訴他到醫院最近的路。唐尼格終究還是個好人，他也說了，現在阿巴斯的負債金額提高了，如果不能在三個月內還清一萬歐元，就必須切斷他的拇指、再來是剁掉手、然後一直往上走到頭部。他真的很抱歉，他很喜歡阿巴斯，他是個可愛的小伙子，但規矩就是規矩，沒有人可以改變。阿巴斯沒有一刻懷疑唐尼格說這話的認真程度。

史蒂芬妮哭了，是為了阿巴斯的斷指，不是為了錢，她不知道接下來該怎麼做，但至少現在他們是兩人一體，他們一定會找到解決辦法的。在過去兩年，他們不就度過了一個又一個難關。史蒂芬妮說，阿巴斯必須立刻接受治療，但眼前的財務問題還未解決，她想再去當服務生，加小費一個月可以拿到一千八百歐元。阿巴斯不喜歡她去啤酒屋工作，因為他會吃客人的醋，但也沒有其他辦法，不可能回頭販毒，因為他們只會痛打他一頓然後把他趕走。

一個月後，史蒂芬妮心知肚明，這樣下去錢根本湊不足，她非常絕望，但一定得找出辦法，她好擔心阿巴斯，她對唐尼格的事一無所知，但是她有整整兩個星期，天天幫阿巴斯的手換藥。

史蒂芬妮愛阿巴斯，他和她之前認識的男孩不一樣，認真些也拘謹些。即使她的朋友會對他說三道四，但他還是對史蒂芬妮很好。現在她要為他做些什麼，她要拯救他，甚至還覺得這個想法有點浪漫。

史蒂芬妮沒有什麼可以賣，但是她知道自己有多美。她也和所有同學一樣，常在地方報上看徵友廣告作樂。現在她也要去刊登一則廣告，為了阿巴斯、為了她的愛情。

和男人第一次在豪華飯店的會面讓她緊張到發抖，她對他很冷漠，但這男人非常親切，而且和她所想像的完全不一樣，他甚至長得還滿好看的。雖然他摸她的方式和她必須滿足他這事讓她作嘔，但無論如何她還是辦到了。他和她在阿巴斯之前認識的男人沒什麼兩樣，只是年紀大些。事後她沖澡沖了三十分鐘，刷牙刷到牙齦出血。現在，她在咖啡罐裡藏了五百歐元。

她躺在家中的沙發上，用浴袍把全身裹得緊緊的。她只要再做幾次，就能把錢湊齊。她想著那個在飯店和她約會的男人，他生活在另一個世界，他提議一星期會面兩次，每次完事後就付給她五百歐元，她會撐得過去的。而且她確信，這對她並沒有什麼傷害，只是阿巴斯不能知道這事。她要把錢給他，給他一個驚喜，她會說這筆錢是從阿姨那裡得到的。

派西．柏翰很累，他看著飯店的窗外，是秋天了，秋風颯颯吹落樹上的葉子，豔陽燦爛的日子過去了，接下來五個多月，柏林很快會沉沒在冬天的灰暗之中。那個大學生走了，她是個很可愛的女孩，雖然有些害羞，但這只是一開始。這很清楚是個交易，他付錢然後得到他需要的性滿足，沒有愛情、沒有夜間來電、沒有其他多餘的廢話。如果她太靠近，他就會結束一切。

他不喜歡妓女，幾年前試過一次後就心生排斥，因為他會想到他的老婆梅蘭妮。她是知名的馬場馬術家，和許多馬術騎士一樣，她們的生活中只有馬。梅蘭妮很冷淡，他們已經好久沒講話了，但彼此相敬如賓，已經習慣在一個屋簷下各過各的日子，他們也不常碰面。他知道，她受不了他身邊女學生圍繞。但為了兒子班納迪克，目前他還不能離婚，得再等幾年，等到兒子成年，因為班納迪克愛他的母親。

派西．柏翰是地方上早期的實業家，他從父親那裡繼承了某家汽車配件供應廠的多數股權，是許多組織及機構的監事，也是政府的經濟顧問。

他在想即將接管位在法國東部阿爾薩斯的螺絲工廠一事，他的會計師紛紛勸阻此案，但是他們根本不了解情況。長久以來他一直覺得律師和會計師永遠只會製造問題，而從不會解決問題。也許他該把一切賣掉然後每天釣魚去，「有一天，」柏翰想著，「總有一天，當班納迪克夠大的時候。」然後，他就沉沉睡去。

——

阿巴斯心神不寧，過去這段時間，史蒂芬妮常提出很奇怪的問題，例如他會不會想到別的女人，他是不是還喜歡她，還愛不愛她等等，這類問題以前她從來不問的。在這之前，她除了在做愛的時候比較沒有自信之外，其他時候她是比較強勢的，現在好像情勢逆轉。睡在一起時，她會緊緊的依偎著他，即使睡夢中也緊緊握住他的手，這也是最近才發生的事。

等她睡著後，他起來查看她的手機。他經常這麼做。現在出現一則來自「ＰＢ」的簡訊，他在腦海中閃過所有朋友的姓名，沒有人的姓名縮寫是這兩個字母。然後他開啟簡訊存檔，「星期三中午十二點，公園酒店，同樣二三九號房」，這則簡訊是「ＰＢ」發的。阿巴斯走進廚房坐在木椅上，氣到幾乎喘不過氣來，「同樣二三九號房」，所以這不是第一次。她怎麼可以這麼做！尤其此刻正是他面臨人生最大的危機時。他愛她，對他來說她就是一切，他以為他們可以共同撐過這一關。阿巴斯無法理解。

星期三中午十二點整，他站在公園酒店前，那是城裡最高級的飯店。警衛不讓他進去，阿巴斯並不怪他，問題出在自己，他看起來就不像酒店的賓客。他知道外界對阿拉伯裔的外表有所顧忌，於是他就坐在酒店外的長凳上等待。兩個多鐘頭後，史蒂芬妮終於走出酒店，他走到她面前觀察她的反應，史蒂芬妮受到驚嚇滿臉通紅。

「你在這裡幹嘛？」她問。

「我在等妳。」

「你怎麼知道我在這裡？」她內心揣度著，他還知道些什麼。

「我跟蹤妳來的。」

「你跟蹤我？你瘋啦？為什麼要這麼做？」

「我知道你有別人了。」阿巴斯的眼中有淚，他抓住她的手臂。

「你別傻了！」她掙脫他的手，穿越飯店前的廣場，她覺得自己好像在演電影似的。

他跟在她身後，上前兩步又抓住她，「史蒂芬妮，妳幹嘛去酒店？」

她全神貫注、仔細思考後說：「我去應徵，他們付的薪水比啤酒屋好。」她想不出更好的藉口。

阿巴斯當然不相信她，他們在廣場上大吵起來，阿巴斯的大吼大叫讓人難堪，她趕緊把他拉走。後來他安靜下來，回家後阿巴斯坐在飯桌旁，喝著咖啡不發一語。

——

柏翰和史蒂芬妮的幽會有兩個月了，她已經不再害羞，他們之間默契很好，或許有點太好了。史蒂芬妮告訴他，兩星期前她男友跟蹤她，柏翰很不安，他知道這事得做個了結。陷在這種關係裡很蠢，善妒的男友意味著麻煩。

今天他來得晚了點，前一個談話行程時間拖太久了，他接通車上的電話撥打她的號碼，聽到她的聲音真好。他說，他馬上到；她很開心並宣稱自己已經裸身等著他。當他開進酒店停車場時便掛上電話，他要告訴她，一切都結束了，最好就是今天。柏翰不是那種會猶豫不決的人。

——

卷宗攤開在辦公桌上，截至目前為止只有兩本卷宗，是用紅色卡紙裝訂的，就像一般的刑事案件一樣，但它還會繼續增加。史密德不喜歡這些檔案，他閉上眼睛向後靠，「到退休還有八個月」，他心想。十二年來，史密德是柏林地檢署金融犯罪中心的檢察長，現在他受夠了。他的父親來自二戰前德國第六大城布雷斯勞、現則隸屬波蘭，史密德完完全全覺得自己是普魯士人。他並不恨他查緝的罪犯，那只是他的工作而已。他也不想再辦大案子，寧可辦些單純的謀殺案或家庭倫理悲喜劇，總的說來，就是案情簡單清楚明瞭者；那種會引起媒體矚目、讓他得把所有資料上呈檢察總長的案子，可千萬別再出現。

史密德眼前擺著柏翰的羈押聲請書，他一直還沒簽名。「簽下去就會啟動媒體瘋狂追逐。」他想。現在的八卦報版面全是陳屍豪華飯店的裸體女大學生，他大概可以想像，如果柏翰企業的董事會主席及大股東派西．柏翰被捕，不知接下來會發生什麼事，不過天翻地覆是免不了的，而且地檢署發言人每天都會接到新的文件夾，交代他對外該如何發言。

史密德嘆了口氣，再看一次新同事寫的備忘錄，這新同事人不錯，還滿有熱情的，但這會隨著時間減弱的。

這份備忘錄井井有條的摘錄全案重點：

史蒂芬妮．貝克的屍體在十五點二十六分被發現，頭部受到重力撞擊並以鈍器多次擊打。犯案工具是一具鑄鐵燈座，其屬房間標準擺設之一。「鈍挫傷」，如法醫之專業語彙所言。

派西・柏翰是被害人手機中最後一位來電者，在刑案發生隔天，兩位重案偵查小組的人員前往其柏林辦公室拜訪他。「只是一些例行性的問題」，他們說。在警方的筆錄中記載，柏翰要求公司裡的一位律師陪同，除此之外他沒有其他特別的反應。在看到死者照片後，他否認認識此女。針對他經過飯店時打電話給此女的通話紀錄，他的解釋是打錯電話。警方直接在他的辦公室記下他的證詞，他看過一遍後就簽了名。

此時我們已經知道，那通電話長約一分鐘，對打錯電話來說，通話時間未免太長了，但警方並沒有戳破柏翰的謊言，還沒有。他們也沒有點破：他的電話號碼儲存在死者手機通訊錄中。柏翰的說詞讓自己陷入重重疑雲。

一天後進行現場鑑定，死者的頭髮和胸部有精液殘留，經比對罪犯資料庫，沒有找到DNA相符者。而柏翰也被請求自願提供唾液檢體，其DNA很快就被分析出來——它和精液的DNA是一致的。

這就是會吸引媒體瘋狂追逐的關鍵。

一如往常，內有屍體解剖照片的黃色卷宗讓史密德很不舒服。他只短暫的看了一下，照片在藍色背景下顯得太過清晰，只有勉強自己，才能忍受長時間觀看這些照片。

史密德想起他在法醫學課上捱過的許多小時，那裡總是寂靜無聲，只有手術刀和鋸子發出的聲響，法醫專注的對著錄音機說話，這代表著對死者的尊重，那些在驗屍台上說說笑笑的情節，只會在犯罪小說中出現。然而氣味、那種典型的腐爛的氣味，是他從來無法習慣的——對大多數的醫生來說也是如此，而且還不能在鼻子下塗抹薄荷油，因為某些線索只會透過死者的氣味呈顯出來。在史密德還是新手檢察官，以勺子從屍體內取出血液、為屍體稱重，或驗屍結束後再把器官放回體內時，他總會感覺噁心。後來他才了解，驗屍後要縫合到多麼緊密內臟才不會流出，是一門獨到的技術；而且他也知道法醫之間論及此事都是嚴肅認真的。每一行都有外人無法了解的專業，檢察官這行也是如此。

檢察長史密德又嘆了口氣，然後簽署羈押聲請書，並將之交給審查庭的法官。

兩個小時後法官發出羈押裁定，六小時後柏翰在住家被逮捕，同時他不同的住所、辦公室和位在杜塞多夫、慕尼黑、柏林和北海敘爾特島上的柏翰大樓都遭到全面搜索。警方的安排非常周延。

柏翰的三位律師在宣讀羈押裁定時出現，在審查庭法官的小小辦公室裡，他們看起來像是局外人，他們是專攻民商法的律師，是公司併購和國際仲裁的專家，受柏翰企業高薪聘用，但他們之中沒有人在近幾年來出過刑事庭，上一回接觸刑法則是在實習期間。他們不知道必須提出哪些申請，其中一人還語帶威脅說要聯絡政界人士，但法官還是不為所動。

梅蘭妮．柏翰坐在會議室門前的長木凳上，沒有人告訴她她不能見丈夫——宣布羈押的日期並未公開。在律師的建議下，柏翰在出示羈押令時保持沉默。他的律師拿出一張空白支票和可以填寫金額高達五千萬歐元的銀行保證書。審查庭的法官對此數字大為震怒，他認為此舉帶有濃厚的階級司法的意味，因此便否決律師申請交保，「我們這裡不是美國」，他說，並且詢問他們是否要提出羈押審查。

檢察長史密德在這一天幾乎什麼都沒說，他覺得好像聽到宣告戰鬥開始的鑼聲響起。

——

派西．柏翰讓人印象深刻。他被羈押的隔天，我辦理會面探望他，他公司的法律顧問委託我為柏翰辯護。他坐在會客室的桌子後方，誠懇的問候我，好像是坐在他自己的辦公室似的。我們談論著政府錯誤的稅收政策及汽車業的未來，彷彿我們是在參加一場小型接待會，而不是在處理刑事案件的相關事宜。

當我們進入主題時，他立即表示在警方審問時他說的是謊言，因為他想保護妻子並拯救他的婚姻。後來我提出的所有問題，他的回答都精準、專注而且毫不遲疑。

他當然認識史蒂芬妮·貝克，她是他的情人，他們是透過柏林城市雜誌上的廣告認識的，每次做愛他都會付錢給她。她是個可愛的女生，還在大學就讀，他曾考慮在她畢業後，安插她到他的公司裡實習受訓。他從沒問她為什麼要當妓女，但是他非常確定自己是她唯一一個顧客。她本來很害羞，慢慢的才活潑起來。「事實就是如此，雖然現在聽起來好像一切都很醜陋。」他說。他很開心能擁有她。

案發當天他開會開到十三點二十分，大約在十三點四十五分抵達飯店。史蒂芬妮已經在等他了，他們共度春宵。完事後他去沖澡，然後就離開了，為了準備下一場會議，他有段時間是獨處的。史蒂芬妮則還留在房內，她想泡個澡再走，她說她會在三點半離開。他在她的皮包內放了五百歐元，這是他們約定好的。

他搭房間外的電梯直達地下停車場，到車上只花了一分鐘、最多不會超過兩分鐘，約莫在十四點三十分離開飯店，然後開往動物園、那是柏林最大的市立公園，並在那裡散心將近一小時，他在思考和史蒂芬妮的關係，並考慮要結束這段婚外情。這段時間，他關掉手機，不想被打擾。

十六點整他到庫坦大街開會，除了他之外，還有其他四位男士與會。在十四點三十分到十六點之間，他沒有遇到任何人，也沒和任何人通電話。離開飯店時，他也沒遇到任何人。

委託人和辯護律師存在著非常奇特的關係，律師並不是真的想知道到底發生什麼事。這在我們的刑事訴訟法中，是有其根據的：如果辯護律師已經知道委託人在柏林殺了人，那麼他就沒辦法申請傳喚將說出委託人案發當天人在慕尼黑的「辯方證人」，真走到這種局面會非常棘手。但在某些情況下，律師則必須知道事實為何，因為確實掌握案發的真實情況，或許才能夠為委託人保有面對判決的優勢。至於律師是否相信他的委託人是無辜的，則一點都不重要。律師的任務就是為委託人辯護。多則不必，但也不可以少。

如果柏翰的說法屬實，也就是說，他在十四點三十分離開房間，而清潔婦在十五點二十六分發現死者，那麼這中間有將近一小時的時間，這六十分鐘足足可以讓真正的凶手進入房間行凶，並在清潔婦到來之前離開現場。沒有證據可以證實柏翰的說法為真，如果他在初次審問時保持沉默，那麼就簡單多了。他的謊言使情況變得更糟，而且現場也沒發現其他凶手的足跡。我雖然認為他不可能在言詞辯論終結後被判刑，但也懷疑法官會在他嫌疑未洗清的此時就撤銷羈押。

兩天後，審查庭法官來電協調開審查庭的日期，我們同意在隔天開庭。現在我可以調閱卷宗，因為檢察官已准許我審閱。

檔案中包含最新的調查結果。死者手機通訊錄中的所有聯絡人都接受訊問，一個史蒂芬妮・貝克非常信任的女性友人告訴警察，她去賣淫的理由。更有意思的是，警方也找出阿巴斯，他有前科，偷竊、販毒、兩年前犯了傷害罪，還在迪斯可舞廳打架。警方訊問阿巴斯，他說，他有一次因嫉妒跟蹤史蒂芬妮到飯店，但她對自己在飯店的停留加以解釋。訊問紀錄長達數頁，每一行都可以讀出警方對他的不信任，但最後他們還是只有發現動機但查無憑據。

下午稍晚我去拜訪檢察長史密德，他一如往常在友善且專業的氣氛中接待我。他對阿巴斯的感覺也不好，嫉妒往往是一股強大的驅力，不排除他有犯案的可能：因為死者是他女友，他知道這飯店，而她和別的男人睡在一起，如果他在場的話，也可能會殺了她。我向史密德解釋柏翰為何說謊，並且告訴他：「和一個女大學生睡覺終究不犯法。」

「是啊，但這也不是什麼好事。」

「謝天謝地，不是好事不代表犯罪，」我說，「通姦已經除罪化了。」史密德在幾年前也和女檢察官傳出緋聞，柏林莫阿比特區的每個人都知道。「我看不出柏翰有什麼理由殺掉他的情人。」我說。

「我也還沒看出，不過您知道的，動機對我來說不那麼重要，」史密德說。「在初次審訊時，他確實撒了謊。」

「這雖然使他涉嫌重大，但最後還是查無實證。而且他最初的證詞在開審理庭時應該是無證據能力的。」

「您想說的是？」

「警方在當時已經掌握通聯，他們知道他和死者通話很久，根據無線電通訊也知道當時他的車在飯店附近，他們還知道死者所在的房間是他訂的，」我說，「警方應該把他當成被告來審問，但卻只當證人訊問，聽取他的證詞。」

史密德翻閱口供紀錄。「您是對的。」他終於承認並把檔案推開。警方老是犯這類疏忽讓他覺得很煩，真的很礙事。

「除此之外，在犯案工具、也就是打死女學生的燈上，沒有發現指紋。」我說，現場搜證結果只有史蒂芬妮·貝克的DNA。

「是的，」史密德說，「但死者頭髮上的精液是來自您的當事人。」

「啊，少來了，史密德先生，這根本不合邏輯。他對著女孩射精，然後為了要打死她，但不讓人查出指紋趕緊戴上手套？柏翰不是白痴。」

史密德挑高眉毛。

「而且其他在水杯、門窗把手等等遺留下來的指紋，都顯示他曾在飯店停留過，但卻沒有犯案的事實。」我繼續說。

我們後來又討論了一個小時，最後檢察長史密德說：

「鑑於您的委託人在羈押審查時詳細交代與死者的關係，我同意明天起停止羈押，被告可以交保候傳。」

他起身握手向我道別，當我走到門邊時他還說：「柏翰必須交出護照、支付高額交保金，而且每週要去派出所報到兩次。同意嗎？」

我當然同意。

當我離開辦公室時，史密德很滿意，這件事終於平息下來，他本來就不覺得柏翰是凶手，派西·柏翰看起來不是狂暴的瘋子，會拿著燈痛毆女學生的頭部。但是，史密德心想，誰又真的了解這個人呢？因此對他來說犯案動機也未必是關鍵。

兩個小時後，正當他要離開辦公室返家時，電話響起。史密德咒罵了一句，但還是走回辦公室拿起話筒，然後就跌坐在沙發上，那是重案組的警官打來的。六分鐘後，史密德掛上電話時，他看看時鐘。然後從夾克口袋中拿出他的老鋼筆，寫下這段通話的摘要，訂在檔案封面作為最上一頁。他把燈關掉，在黑暗中坐了一會兒。現在他知道，凶手是派西．柏翰。

——

隔天史密德再度約我在他的辦公室會談，當他把照片推到我面前時，他看起來幾乎是悲傷的，從照片中可以清楚辨認出坐在車窗內的是柏翰。「飯店停車場出口設有高解析度的監視錄影器」，他說，「您的委託人在離開車庫時被拍攝下來，今天早上我才拿到照片，昨天我們會談後，重案組還打電話給我，但我已經聯絡不到您。」

我疑惑的看著他。

「這些照片是柏翰先生離開飯店停車場時拍到的，您看第一張照片上的時間，監視錄影器會把時間印在照片的左下角，時間是十五點二十六分五十五秒。我們也檢測過監視錄影器上的時鐘裝置，它是正確的，」史密德說，「清潔婦在十五點二十六分發現死者，這時間也沒錯，和第一通報案電話十五點二十九分的時間點也是吻合的。很遺憾，凶手應該不是另有其人。」

除了取消撤回羈押抗告，我別無選擇。柏翰依然還押候審。

—

接下來幾個月為訴訟準備期，事務所內所有律師都在鑽研此案，檔案中的每個細節都一而再、再而三的查證，例如無線電通訊、DNA分析結果和車庫的監視錄影器等等。重案組搜證仔細，幾乎查不到任何疏漏之處。柏翰企業也雇用私家偵探，但也沒有調查出新的事證。而即使鐵證如山，柏翰還是堅持他的供詞絕非虛言；且就算勝算渺茫，他還是心情很好且一派從容。

警方辦案的出發點是沒有巧合的存在，他們百分之九十五的調查都是書面作業，包括物證審核、重要事項備忘錄、證人的訊問等等。在犯罪小說中，當有人怒斥凶手，凶手就會坦承犯行。在真實世界裡卻沒有這麼簡單。而且當有人手上拿著帶血的刀，屈身在死者上方，那麼他就是凶手。沒有一個明智的警察會相信，他只是偶然經過，為了想協助死者而把刀從其身上拔出。電視、電影中的警長常說，答案太過簡單了，這是劇作家杜撰的台詞。事實恰恰相反。看得到的就是可能發生的，而且往往是正確的。

與此相對，律師則是從檢察官建構的鐵證如山之中，為被告找出疏漏之處。巧合是律師的盟友，他們的任務是避免輕率的將案情導向似是實非的「真相」。有位警官曾對聯邦法官說，辯護律師只是正義之車上的煞車罷了；該法官則回答，一輛沒煞車的車也不能開。刑事訴訟只有在此正反兩造的角力下，才能發揮它的作用。

所以我們還在尋找能夠拯救委託人的巧合。

柏翰的耶誕節和新年都得在牢裡度過，檢察長史密德大方的給他特別談話許可，讓他和企業執行長、會計師和公司裡的律師會面。他每兩天就接見他們一次，從獄中領導他的企業。他公司的董事會和職工公開宣稱他們支持他，他的妻子也經常來探望，只有兒子來會面時他不見，因為班納迪克不應該在監獄看到父親。

四天後就要開庭，但還是找不到一線光明，除了一些程序性提案外，沒有人對要如何幫委託人成功辯護有任何想法。在刑事訴訟中常見的協商認罪，則不適用於此案，謀殺罪的法定刑罰為終生監禁，傷害致死則為有期徒刑五至十五年，本案沒有任何協商的可能。

監視器拍下的畫面，就攤在事務所圖書室的桌子上，柏翰被拍得一清二楚，六張照片連環拍，就像一部袖珍電影。柏翰左手操控方向盤，柵欄開啟，車子開過監視錄影器。

突然間，一切變得清清楚楚，答案在四個月前就躺在卷宗中，事情簡單到讓我不禁大笑出來。我們都忽略了再簡單不過的答案。

審判在莫阿比特法院五〇〇號法庭舉行，檢察官以傷害致死起訴被告，檢察長史密德代表檢方，當他宣讀被告的罪名時，全場鴉雀無聲。柏翰被歸為被告，他的準備非常充分，不需任何摘要，就能陳述一個多小時，他的聲音充滿磁性，大家都樂於傾聽。他專注的敘述自己和史蒂芬尼·貝克的關係，沒有任何隱瞞，沒有留下任何謎團，他描述案發當天的會面及自己在十四點三十分離開飯店。對於法官和檢察官的提問，他的回答精準又詳盡，他說自己付費和史蒂芬妮·貝克做愛，也解釋為何要這麼

做，他說懷疑他殺了這女孩是完全不合理的，因為除了性之外，他和女孩沒有任何關係。

柏翰贏得大家的信任，所有在場者的神情，透露出他們有多麼遺憾，這是非常罕見的場面，沒有人願意相信他涉嫌殺人——就只因為找不出其他人可能涉嫌。接下來幾天，證人陸續出席。

隔天八卦報的標題是：「鉅富終究不是女大學生殺手？」此標題的確是很適切的結語。

庭期第二天，法官傳喚清潔婦康素艾拉，發現史蒂芬妮的屍體一事，對她的身心是一種折磨，她的證詞非常可信，檢察官和辯護律師都未提問。

第二名證人是阿巴斯，他面容哀悽，法官訊問他和死者的關係，尤其是史蒂芬妮是否曾提起被告，然後她說了些什麼。阿巴斯表示，他對這些事一無所知。

接著審判長訊問阿巴斯在飯店前和史蒂芬妮的碰面、訊問他的嫉妒和跟蹤。這位法官公正無私，他所問的一切，都是想知道阿巴斯在案發當天是否在飯店內。阿巴斯對這類問題都加以否認，他坦承自己的賭癮及欠下賭債，但他現在已經過治療並取得部分工作許可，而且還在披薩店當洗碗工賺錢清償債務。法庭內沒有人會相信阿巴斯撒謊，因為凡是自願陳述自己如此私密的隱私者，所言必為事實。

檢察長史密德盡了一切努力，但阿巴斯還是堅持自己的說法，現在他在證人席已將近四小時了。

我對阿巴斯沒有提出問題，審判長驚訝的看著我，畢竟他是唯一可能的凶手。我另有打算。對辯護律師來說，訊問證人時最重要的規則，就是不要提出你不知道對方會如何回答的問題。驚喜未必是好事，我們不能拿委託人的命運下賭注。

除此之外，在言詞辯論過程中沒有其他新發現，依照順序逐步討論本案內容，只有史蒂芬妮的朋友說出她為何賣淫的原因時，柏翰的臉上蒙上一層陰影，他終究還是趁人之危。有位我覺得站在我們這邊的參審員，不安的在椅子上來回滑動。

庭期第四天，警方傳喚第十二位證人，這是我們期待已久的。他是重案偵查小組的新進人員，任務是找出並保管停車場監視器的影片，庭上請他描述飯店保全人員將影片遞交給警方的經過。是的，他在現場比對過警衛室監視器螢幕上的時間，他可以確定和真正的時間只有半分鐘的差距。對此他也做了書面紀錄。

當辯方律師有權發問時，我先請證人證實警方取得監視器畫面的時間確實是在十月二十九日。是的，沒錯，那天是星期一，將近下午五點。

「證人先生，請問您曾問過警衛，他是否在十月二十八日將時鐘調整為冬令時間嗎？」我問。

「什麼？沒有，時間是正確的，我檢查過……」

「監視器畫面的時間為十月二十六日，當天還是夏令時間（注：又稱「日光節約時間」。實行期間將原本的標準時間撥快一小時，恢復時再撥慢一小時。於天亮早的夏季使人早起早睡，以節約照明用電），兩天後的十月二十八日，才調回冬令時間。」

「我不懂……」這位警察說。

「這很簡單，可能監視錄影器所顯示的時間，一直都是冬令時間。如果該時鐘在夏季顯示為下午三點，那麼其實真正的時間是下午兩點，相反的，它在冬天顯示下午三點，就是正確的時間。」

「是的。」

「案發當天，十月二十六日，還是夏令時間，時鐘顯示十五點二十六分，如果時鐘沒有調整過，那麼事實上則是十四點二十六分。這樣您懂了嗎？」

「是的」，警察說，「但這只是理論上的說法。」

「關鍵就在於此，時鐘所顯示的時間正確與否，正是問題所在，否則被告就可能在清潔婦發現死者前一個小時離開房間。而在這一個小時內，其他人可能進入房間犯案。因此，證人先生，這個問題是非常重要的，為何您沒有對飯店保全人員提出？」

「我不確定我有沒有問，或許保全人員有跟我提過……」

「我這裡有幾天前錄下的安全室主任的證詞，他說，時鐘從來不曾調整過，在裝設監視器時就一直保持原來的時間，也就是冬令時間。您現在可以想起來，您是否向保全人全提出過此問題嗎？」我將證詞影本呈給法官及檢察官。

「我……我想我沒有提出這個問題。」此時警察改口說。

「庭上，請您給證人看圖片文件夾B第十二到十八頁的圖，那是被告離開停車場的畫面。」

庭上找出黃色的圖片文件夾，並將列印圖片攤在桌上，證人走到法官席，仔細查看圖片。

「上面是印著十五點二十六分五十五秒沒錯。」該名員警說。

「是的，這時間是錯誤的。我可以請您將目光轉移到圖四被告的手腕嗎？請您仔細看，他的左手可以看得很清楚，因為他剛好剛按過鬧鈴按鈕，柏翰先生當天戴的是百達斐麗名錶。您可以看到圖片上手錶的指針嗎？」

「是的，看得很清楚。」

「證人先生，您可以唸出您看到的時間嗎？」

「十四點二十六分。」該名員警說。

滿座的記者席上開始騷動起來，公訴檢察官史密德來到法官席，仔細查看原圖。他慢慢的一張張拿起照片仔細端詳，終於他點點頭。這六十分鐘，正是推斷有其他凶手可能犯案、因而得以釋放柏翰所欠缺的必要條件。此時審判即將宣告終結，沒有其他不利於柏翰的證據存在。審判長宣布暫時休庭。

半小時後，檢察官撤銷對柏翰的羈押，隔天的審理過程也沒有其他新事證出現，因此柏翰被當庭釋放。

——

檢察長史密德祝賀柏翰獲釋，然後走過長廊回到辦公室，完成結案報告並打開下一份卷宗。三個月後他順利退休。

阿巴斯在當天晚上遭到逮捕，警方問案很有技巧，他告訴阿巴斯，史蒂芬妮會下海賣淫全是為了救他，並為他宣讀史蒂芬妮的朋友的證詞。

阿巴斯聽了後情緒崩潰，不過他和警方交手的經驗豐富，並沒有承認犯案，因此全案至今未破，檢方也因證據不足，無法起訴阿巴斯。

而梅蘭妮・柏翰則在訴訟結束後一個月請求離婚。

史密德直到退休幾個月後才明白全案癥結所在，而那天恰好是風和日麗的秋天，世事難料令他不禁搖搖頭。本案因事證不足無法發回重審，而柏翰手錶上的時間也無法釐清案情找出真凶。史密德把腳邊的一顆栗子踢到路旁，沿著林蔭大道慢慢往前走，他想著，人生真是無奇不有。

正當防衛

藍茲別格和貝克在月台上閒晃。他們頂著大光頭、身穿迷彩褲、腳踩傘兵靴、走起路來外八字。貝克的夾克上寫著「Thor Steinar」（譯注：德國服裝品牌，在仇外的新納粹份子間極為風行），藍茲別格的T恤上則有「Pitbull Germany」（譯注：德國服裝品牌，意為「德國鬥狗」，其商標為凶狠的鬥狗）字樣。

貝克比藍茲別格矮一些，他被判傷害罪十一次，十一歲時第一次掛彩，當時他跟著大人混，並在他們毆打越南人時出腳幫忙。之後是每下愈況，十五歲時第一次進少年監獄，十六歲時開始刺青，在他右手食指到小指的指關節處，分別刺上字母「H-A-S-S」，合起來的字義是「恨」，而他左手大拇指則戴著納粹的十字標記。

藍茲別格只有四次前科，但他持有金屬製的球棒。在柏林，球棒的銷售量是棒球的十五倍。

貝克接近一位較年長的女士，她嚇壞了，他則哈哈大笑，舉起手臂，跨兩大步接近她，這位女士加快速度往前跑，緊抓住手中的皮包，消失得無影無蹤。

藍茲別格以球棒敲打垃圾筒，鏘鏘聲迴盪在火車站內，他不必費太大力氣就能把鐵皮打凹。月台上幾乎空無一人，下一班車要四十八分鐘才會進站，是開往漢堡的ICE子彈列車。他們坐在長椅上，貝克把雙腳也抬到長椅上，藍茲別格則蹲坐在椅背上，他們悶得慌，隨手把最後的啤酒瓶丟到鐵軌上，酒瓶應聲碎裂，標籤也慢慢變成波浪形。

然後，他們發現他，這個男人坐在兩張長椅外，約莫四十五歲、頭髮半禿、戴著黑框眼鏡、身穿灰色西裝，應該是個小會計或公務員，有老婆小孩在家裡等著的無聊男子，他們想。貝克和藍茲別格互看一眼，露齒冷笑，這傢伙是典型的受氣包，肯定會嚇得屁滾尿流。這一整晚都不太順，沒有女人、要享受真正的好東西錢又不夠。貝克的女友在星期五和他分手，她受夠了他的大吼大叫和酩酊大醉。這個星期一清晨真是他媽的有夠背——直到他們發現這個男人。暴力畫面在他們的腦海中不斷擴大，他們互相拍拍肩，勾著手臂向他走去。

貝克刻意攤坐在男人旁邊，還對著他的耳朵打嗝，發出濃濃酒臭和未消化的食物的氣味。「老傢伙，怎樣，今天爽過了嗎？」

這男人從西裝口袋取出一顆蘋果，並用袖口擦了擦。

「喂，窩囊廢，我在跟你講話。」貝克說。他把蘋果從男人手上拍掉並踩爛，果肉飛濺到傘兵靴上。

男人沒看貝克一眼，還是眼睛朝下、動也不動的坐著。在貝克和藍茲別格的解讀中，他的無動於衷是一種挑釁。貝克以食指戳男人的胸膛，「喔，這傢伙不會回答啊？」說著說著就賞男人一耳光。男人的眼鏡被打歪了，但他也沒把它弄正。因為他還是動也不動，於是貝克從靴子裡抽出一把刀。那是一把雙面刃的長刀，刀背呈鋸齒狀，在男人臉部前揮來揮去，男人只往前看。於是貝克將刀淺淺刺進男人的手，像針扎一樣，手背上冒出一滴鮮血，貝克期待的看著男人。藍茲別格對接下來要發生的事興致勃勃，興奮的拿起球棒敲打長椅。貝克用手指沾起一滴血，在男人手上抹來抹去，「喂，窩囊廢，這樣好點沒？」

男人還是毫無反應。貝克勃然大怒大發雷霆，拿起刀在空中揮舞，在男人胸前幾公分處從右往左揮動兩次，第三次刀子就刺到男人，劃破襯衫及男人的皮膚，傷口長達二十公分，幾乎形成一條水平線，鮮血滲透衣物，留下一道波浪般的紅色條紋。

有位醫師在對面月台候車，要搭往漢諾威的早班火車去參加泌尿科醫師會議，他後來在法庭上作證指出，那個男人幾乎是動都沒動，一切發展得太快了。月台監視器錄下整個過程，但也只是一張張黑白的定格畫面。

貝克舉起手來準備再度攻擊，藍茲別格在旁鼓譟。男人抓住貝克持刀的手，同時痛擊他的右手肘內側，這一擊只有改變了刀的方向，但力道不曾稍減，刀口劃成一道弧線，男人借力使力將刀鋒帶到貝克第三與第四肋骨之間，形成貝克自己將刀刺進胸膛，而就在刀尖刺穿皮膚時，男人重重打在貝克的拳頭上。這一切都只是一個動作，流暢得像在跳舞一般。刀刃完全消失在貝克的胸口，劃破心臟，貝克還有四十秒的生命。他保持站姿，低頭看著自己，他的手緊緊抓住刀柄，看起來好像在讀手指上的刺青似的。他沒有任何痛苦，因為位在神經細胞之間的連接點無法再傳達任何信號。貝克不知道，他剛剛死了。

男人轉身看著藍茲別格，沒有採取任何行動，只是站在那裡。他等待著。藍茲別格不知道該逃跑還是全力一搏，而那男人看起來還是像個會計，於是他就做了錯誤的決定。他高舉球棒，於是男人以迅雷不及掩耳的速度痛擊藍茲別格的脖子，就出手這麼一次，速度快到連監視器都留不住畫面。然後他坐了下來，不再看他的對手。

這一擊準確命中頸動脈竇，那是頸動脈內側的膨大部位，在這個微小的點上，有豐富的神經末稍，它們對突來的震動理解為血壓驟然飆高，並將此信號傳到藍茲別格的大腦，大腦再下令放慢心跳，於是他的心臟越跳越慢，循環系統完全瓦解。藍茲別格跪了下來，球棒落在他身後，彈了兩下、就滾落到鐵軌上。這一擊下手之重，扭斷了敏感的頸動脈竇管壁內的壓力感受器，血液湧入刺激神經，使其不斷傳達信號阻止心臟繼續跳動，藍茲別格臉部朝下倒在月台上，少量的血流到地面的凹洞，積聚在香菸盒旁。藍茲別格死了，因為他的心臟停止跳動。

貝克還站了兩秒鐘，然後也倒了下來，他的頭部撞上椅子發出巨大的撞擊聲，並在上面留下一道血痕，然後他就掛在那裡，睜大雙眼，像是盯著男人的鞋子似的。男人重新戴好眼鏡，蹺起腳來，點起香菸，等著警察上門。

第一位抵達案發現場的是個女警，她和一名男性員警在兩個大光頭踏上月台後，就接獲命令前往查看。她看到兩具屍體、在貝克胸口的刀、男人被劃破的襯衫，並且記錄下他正在抽菸。在她的腦海中，所有訊息一樣急迫，於是她抽出警槍，對準男人大喊：「火車站內禁止抽菸。」

——

「有位重要客戶請我們幫忙，希望您能協助處理此案，費用由我們負責。」一位律師在電話中說。他說，他是從紐約打的電話，但通話線路的感覺好像他坐在我旁邊似的。他的語氣非常急切，他是一家會計事務所的資深合夥人，而這家事務所在每個工業化國家至少都設有一家分公司。「重要客戶」即為讓這家事務所賺進大筆金錢的客戶，也是一位享有特殊權利的客戶。我問對方是關於哪方面的案子，他也不知道，只說他的祕書接到警方的電話，告訴她有人在火車站遭到逮捕，但是她並不知對方的姓名，只知道是和「傷害致死或類似的案子」有關，其他的她就不知道了。而他們之所以知道他是「重要客戶」，是因這個電話號碼只有重要客戶才知道。

我前往位在凱特街的重案偵查小組。警察局不論是設在時髦的玻璃帷幕的鋼構大樓、或是在兩百年歷史的崗哨站裡都無關緊要，因為它們都是一個樣。走廊上鋪著灰綠色的油布，空氣中聞起來有股清潔劑的味道，審訊室中掛著巨幅貓咪海報及同僚度假時寄來的明信片，螢幕及櫃子上還貼有從報章雜誌上剪下來的笑話，還有以橘黃色咖啡壺煮出來的濾泡式咖啡，加熱板已焦黑，咖啡涼了大半。桌上擺放寬口的「我愛赫塔」杯（注：柏林赫塔為知名足球俱樂部）、海利特牌的淺綠色塑膠筆筒，有時牆上還會掛著警官拍下的落日照片放在無邊框的玻璃相框內。總的說來，空間裝潢為淺灰色系、擺設以實用為原則、房間太擠、椅子太難看，窗邊擺著放在陶粒黏土中的植物。

刑警大隊長達爾格進行過數百次的審問，當他十六年前來到重案組時，就成了警政單位之光。他也以自己締造的紀錄為榮，而他知道，他的平步青雲尤其要歸功於「耐性」這個特質。只要有需要，他可以傾聽數小時而不嫌煩，且在長期擔任警職後，依然覺得一切非常有趣。達爾格不喜歡在剛抓到嫌犯時就進行審問，因為事情剛發生，他所知道的線索太少，他比較在行的是抓住嫌犯快要和盤托出的時機。他問案沒有絕招，不用勒索的手段、也不會羞辱對方，對嫌犯的初次審訊他樂於託付給較年輕的同事，只有在覺得已了解全案時，他才會親自審問。對於案情各項細節，他有絕佳的記憶力，雖然他的直覺從來沒出錯過，但他還是不願憑直覺辦案。達爾格知道，再怎麼荒誕奇謬的故事都可能為真，而看似可信確實的供詞也可能是一派胡言。他對新進同事說，審問是件艱難的工作，但他永遠不會忘記加上一句：「跟著錢或精液走。所有凶殺案的動機都可以歸結到這兩方面。」

雖然我們兩人的興趣幾乎是南轅北轍，對彼此卻有一份尊敬，而當我經過幾番打聽找到在訊問室的他時，他好像很高興看到我的樣子。「我們走不下去了。」這是他說的第一句話。達爾格想知道是誰委託我承接此案，我說了會計師事務所的名稱，他聽了聳聳肩。我要求所有人離開，讓我能和當事人不受干擾的談話，達爾格露出幸災樂禍的笑容說：「好的，祝你成功。」

只剩我們兩人時，那男人才抬頭看我。我先自我介紹，他禮貌的點點頭，但什麼也沒說。我試著用德語、英語和很破的法語和他對話，但他只是看著我，沒說半個字。我把筆擺到他面前，他又推了回來。他「不願意」說話。我拿出一份授權書，無論如何我總得有文件證明自己是他的代理人吧。他先陷入思考，接著突然打開放在桌上的印泥盒蓋，先在右手大拇指上沾上藍印泥，然後在授權書的簽名欄蓋上指紋。「這也是一種方法……」說完我就取回授權書。然後我走進達爾格的辦公室，他問我這男人是誰。這回該我聳肩了，接著他向我詳細說明先前發生的事。

達爾格前一天從火車站轄區的聯邦警察手中接管這男人，而他無論在被捕、運送過程或在凱特街的初次審訊中，都不曾開口說一個字。他們試圖透過不同語言的口譯者，並提出十六種語言的審訊說明書，但還是一無所獲。

達爾格檢查在他身上搜到的所有物品，也查不出他的身分，沒有皮夾、沒有證件也沒有鑰匙。他給我看所謂的搜身物品B紀錄所列舉的清單，共計有下列七項物品：

1　貼有火車站藥局標價的得寶牌紙手帕

2 裝有六根香菸的菸盒，上面貼有德國稅捐標籤
3 黃色塑膠打火機
4 前往漢堡火車站的普通艙車票（沒有訂位）
5 紙鈔共計一萬六千五百四十歐元
6 硬幣合計三點六二歐元
7 柏林的羅固斯、梅特卡夫及合夥人律師事務所之名片及分機號碼

值得注意的是，他所有的衣物上都沒有標籤——褲子、西裝可以由裁縫師裁製，但很少有人連內褲和襪子都是量身訂做的。他身上只有鞋子查得出來歷，那是出自法國東部阿爾薩斯的法國製鞋專家何夐之手，但在法國以外的精品鞋店一樣可以買到。

男人被送往鑑定單位，他們拍下他的照片並取指紋，達爾格將照片和指紋送往所有資料庫請求比對，卻沒有具體結果，所有調查機關都沒有男人的資料；連從車票都查不出男人的身分，因為那是在車站內的自動售票機購買的。

在這其間，我們也看了車站拍下的監視器畫面，聽了在對面月台的醫生和飽受驚嚇的年長女士的證詞，警方進行全面清查，但依然沒有任何結果。

於是男人暫時被拘留，他在警衛室滯留一夜。隔天達爾格打電話到名片上的律師

事務所，他很不想打這通電話，所以一直拖延，因為律師不會輕鬆看待這類事件，他想。

我們坐在達爾格的辦公室，喝著半涼不熱的濾泡咖啡。我看了兩次監視畫面後對達爾格說，這非常清楚，幾乎是教科書中正當防衛的標準情節。達爾格不想釋放這男人：「他就是不太對勁。」

「是的，當然，這很明顯，但是除了您的直覺外，沒有任何理由可以拘留他，這您也知道。」我回答。

「我們甚至連他的身分都不曉得。」

「不，達爾格先生，這是全案您唯一不知道的事。」

達爾格打電話給檢察官凱斯汀，這是所謂人命關天的重案，也就是說，由檢察署重案組負責調查。凱斯汀從達爾格第一份報告中就已知道此案，但他也無計可施，唯一確定的是這報告也許能幫助檢察署做出決定，因此他決定把男人帶到審查庭法官那裡。通話確認後，我們約好下午五點會面。

承辦本案的審查庭法官叫藍普雷希，即使春天來了，他還是身穿套頭毛衣。

五十二歲的他有低血壓，長年都覺得冷，而且總是悶悶不樂。他什麼事都要求清楚明白，所有事物都必須就定位，不喜歡下班後還得把複雜的案子帶回家。

藍普雷希在大學客座，講授刑事訴訟法，而他所提出的案例，都令人難以置信。他告訴學生，一般人以為法官喜歡給人定罪，但實則不然。「他們會這麼做是因職責所在，但若心有懷疑，就不會給人定罪。」法官判案獨立自主的真正意義，在於法官也想安心睡好覺。聽到這裡，學生總會哄堂大笑。儘管如此，他說的還是事實，而且就他所知，沒有例外狀況。

審查庭法官也許是刑事審判中最有趣的職位。他們只要稍微了解每個案子，不必忍受冗長的審判過程，也不必聽取法官、律師等其他人的意見。但這只是片面的觀察，它的另一面就是寂寞。審查庭法官獨自決定一切，所有事都由他決定，他可以監禁一個人，也可以釋放一個人。總有其他比這輕鬆的工作。

藍普雷希不太在意辯護律師，也不太在意檢察官，他只對案情感興趣，而他所做出的裁決，通常是外界難以預期的。他們在背後罵他，他的大眼鏡和蒼白的嘴唇看起來很奇怪，但大家都非常尊敬他。在他法官任職二十週年紀念日時，地方法院院長頒給他一只證書。院長問他是不是還一直喜歡這份工作，藍普雷希的回答是他從沒喜歡過。他就是這麼不受拘束。

藍普雷希看過證人的證詞，而在他也無法讓男人開口說話後，便要求要看監視器錄影畫面。我們和他仔細看了大約有一百次吧，那些畫面我都能畫下來了，簡直像是一輩子都得這樣耗下去。

「把機子關了吧。」他終於對警長說，然後轉身面向我們。「好了，各位先生，我想聽聽你們的看法。」

凱斯汀當然已經提出羈押聲請書，如果他沒提的話，也不會有今天這個討論會。凱斯汀以嫌犯連犯兩起重傷害致死、且因無法證實他的身分因此有逃亡之虞而聲請羈押。凱斯汀說：「本案當然可以從正當防衛的角度思考，但也有防衛過度之虞。」

這意思是檢察官想援引防衛過度的法條，也就是說，受到攻擊時，我們可以自我防衛，並在選擇防衛工具時不受限制——對付出拳攻擊可以用木棒，對付刀子可以用槍，未必得選擇最溫和的工具，但也不可過度，例如若已將對手射擊到失去戰鬥能力時，就不能砍下他的頭。諸如此類的過度防衛是法律所不允許的。

「他的過度防衛在於把刀打進受害人的胸部。」凱斯汀說。

「哦？」藍普雷希說，他聽起來非常驚訝，「辯護律師請發言。」

「我們都知道這是一派胡言，」我說，「沒有人得忍受刀子的攻擊，而且他當然可以用這種方式保護自己。對檢察官來說問題不在此，一位像凱斯汀經驗如此豐富的檢察官，不會真的相信法庭會通過此項控告，檢察官只是想調查男人的身分，因此需要時間。」

「檢察官，是這樣嗎？」藍普雷希問。

「不是，」凱斯汀說，「如果非必要，檢察官不會提出羈押聲請。」

「喔，」法官又說了，這回聽起來有些諷刺。他轉身面向我，「您可以告訴我們，這男人是誰嗎？」

「您知道，藍普雷希先生，即使我知道，我也不能說。但是我可以提出一個可以寄發傳票的通訊地址。」在這其間我再度和委託我的律師通過電話，「這位先生的傳票可以寄到該事務所，我口頭保證這是經過該律師的同意。」我將地址遞交給法官。

「您看，」凱斯汀說，「他不願意說。他知道很多，但卻不說。」

「這場訴訟不是針對我，」我說，「然而事實是：我們不知道被告為何沉默，可能他不懂我們的語言，也可能是出於別的理由沉默……」

「他觸犯違反社會秩序法第一百一十一條的規定，」凱斯汀打斷我的話，「這非常清楚。」

「兩位男士，如果您能一個一個來，我會非常感激，」藍普雷希說，「第一百一十一條規定，每個人必須告知個人資料，這我同意檢察官的看法。」藍普雷希一直上上下下的調整他的眼鏡，「但它並不構成可以裁定羈押的要件，警方可以拘留犯罪嫌疑人以便確認其身分，但這不能超過十二小時，檢察官，現在已經遠遠超過十二小時了。」

「除此之外，」我說，「被告未必得提供個人資料，如果他提供真實身分會帶來起訴之虞，他可以沉默。也就是說，如果男人說出他是誰會導致他遭羈押，他當然可以沉默。」

「這您看到了，」凱斯汀對審查庭法官說，「他不告訴我們他是誰，我們就什麼都不能做。」

「正是如此，」我說，「您什麼都不能做。」

男人心不在焉的坐在椅子上，他穿著繡有我姓氏第一個大寫字母的襯衫，那是我請人帶給他的，很合身，但穿在他身上看起來很怪。

「檢察官，」藍普雷希說，「被告和被害人間有淵源嗎？」

「不，這點我們不知道。」凱斯汀說。

「被害人喝了酒嗎？」藍普雷希的問題是對的，就符合自衛的條件而言，的確應該事先迴避醉漢的攻擊。

「酒測值為千分之零點四和零點五。」

「這未達標準，」法官說，「您在嫌犯身上有發現任何沒有列在檔案裡的物品嗎？有沒有任何跡象顯示還有其他的犯行或需要羈押？」藍普雷希似乎在一張清單上做記號。

「沒有。」凱斯汀知道，每個否定回答都將他的目標推得更遠。

「還有其他調查未竟事項嗎？」

「是的。完整的解剖報告還沒出來。」凱斯汀很開心，終究還是有某些事證還待確認。

「好了，凱斯汀先生，這兩人肯定不是因中暑身亡的。」藍普雷希的聲音變得更微弱，這對檢察官來說可是壞預兆。「如果檢察官不能提出比我桌上的資料更新的事證的話，那麼我現在要裁決了。」

凱斯汀搖頭。

「兩位，」藍普雷希說，「我聽得夠多了。」他整個身子往後靠。「本案明顯構成正當防衛之要件，當有人受人持刀及球棒的威脅，甚至還刺傷並作勢要攻擊時，那麼他可以自我防衛。他可以採取任何手段來終結對方攻擊，而被告所為也不外乎如此。」

藍普雷希停頓了一會兒繼續說道：「我同意檢察官的說法，此案非比尋常。被告面對受害人攻擊時，只能說是冷靜得可怕，但我無法認同被告涉及所謂的防衛過度。

同樣的道理，如果今天兩名逞凶之徒不是攤在桌上的病理報告，而是活生生的坐在我面前，我勢必對他們發出拘票。」

凱斯汀重重闔上檔案夾，發出巨大的聲響。

藍普雷希宣布判決並由書記官加以記錄：「本庭裁定駁回檢察官的羈押聲請書，被告即刻釋放。」然後他轉身向凱斯汀和我：「到此為止。祝兩位有個愉快的夜晚。」

當書記官準備簽發釋票時，我走到門前，達爾格坐在椅子上等我。

「您好。您在這裡幹什麼？」我問。一名警員對審理結果如此高度關注並不尋常。

「他被放出來了嗎？」

「是的，毫無疑問是正當防衛。」

達爾格搖搖頭，「我也這麼想。」他說。他是個好警察，整整二十六個小時沒有闔眼了。判決結果顯然激怒了他，這也不像是他的作風。

「發生什麼事？」

「也沒什麼啦，有些其他的事您不知道。」

「什麼其他的事？」我問。

「在您的當事人被逮捕的那天早上，我們在威爾瑪斯朵夫區發現一名死者，也是刀子刺進心臟身亡，現場沒有指紋、沒有DNA痕跡、沒有衣服纖維，什麼都沒有。死者身邊的每個人都有不在場證明，而且七十二小時就快過去了。」

所謂的黃金七十二小時是指，重大刑案發生後的七十二小時內若未能破案，那麼此案被偵破的機率即大幅降低。

「您想說什麼？」

「那是專業手法。」

「可是刀子刺進心臟並不罕見。」我說。

「沒錯，但也非完全如此。無論如何，不可能這麼精準。大多數是刺好幾刀，要不就是刺到肋骨，通常都會偏掉。」

「然後呢？」

「我有一種感覺……您的當事人……」

這當然不僅止於一種感覺：每年德國約有兩千四百起凶殺案，其中有一百四十起發生在柏林，這雖然比法蘭克福、漢堡和科隆加總起來還多，但是破案率也高達九成五，也就是說，只有七件案子抓不到凶手。而此刻正有一個男人獲釋，和達爾格的理論絲毫不差。

「達爾格先生，您的感覺……」我說，但他打斷我的話，沒讓我繼續。

「是的，是的，我知道。」他說著說著就轉身離開。我在他身後喊著，如果有什麼新發現要打電話給我。達爾格嘟噥著某些無法理解的字句如「沒有理由……律師……千篇一律……」然後就回家去了。

——

男人直接從訊問室獲釋，並取回他的錢和其他物品，由我幫他簽收。我們走到我的車子，我載他去火車站，三十五小時前，他在那裡殺了兩名男子。他下車時一語不發，消失在人群之中。後來我再也沒見過他。

一個星期後，我和那家會計事務所的負責人共進午餐。「你們那位重要客戶，要我幫那個無名氏辯護的到底是誰啊？」

「我不能告訴你客戶的名字，因為他是一個你也認識的人，至於那個無名氏，我也不知道他是誰，但是我有東西要給你。」他說著便拿出一個袋子。那是我給男人的那件襯衫，洗乾淨也燙過了。

在去停車場的路上，我把它扔進了垃圾桶。

綠色

他們又帶來一頭羊。四個穿著雨鞋的男人圍著這頭羊盯著牠。他們先把牠放在小貨車平台上送進宅邸內院，然後在毛毛細雨中，再把羊搬到一張藍色塑膠布上。羊的咽喉被割斷，沾滿汙泥的羊毛上傷痕累累，凝結的血塊在雨水中又漸漸溶出，形成紅色細絲流經塑膠布，滲進石子路中。

在場的男人都以畜養牲口維生，對羊的死亡並不陌生，因為他們每個人都有親手屠宰牲口的經驗，但這頭死羊卻讓他們感到懼怕。那是一頭馬耶訥青頭肉羊，肉質肥美，有著青色的頭和突出的雙眼。牠的眼珠子被挖出來，在深沉的眼窩邊緣，殘存視神經和肌肉束的纖維組織。

諾爾戴克伯爵點頭向男人致意，沒有人有說話的心情。他看了那頭羊一眼，搖搖頭，從夾克口袋拿出信封，數了四百歐元交給其中一個男人。四百歐元是這頭羊價值的兩倍，其中一個男人說：「不能再這樣下去了。」這句話說出了所有人的心聲。當男人們駛離宅院時，諾爾戴克伯爵拉起大衣衣領，「他們說的對，」他想，「我得和他談談。」

——

安吉莉卡．彼得森是個滿足的胖女人，她在諾爾戴克一地當了二十二年警察，轄區內還未發生過重大刑案，而且她的槍也不曾派上用場。今天的工作結束了，那名酒醉駕駛的報告已經處理完畢，她坐在椅子上來回晃動，雖然下著大雨還是開心的期待週末到來，她終於有時間可以整理上回度假時所拍攝的照片。

電鈴聲響時，彼德森嘆了口氣，她按下開門警示器，但沒有人走進來，於是她起身走到街上咒罵村裡的男孩，氣得想拉長他們的耳朵，因為他們老是拿門鈴來惡作劇，覺得這麼做很好玩。

彼德森幾乎認不得菲利普．馮．諾爾戴克，他站在位在人行道上的崗哨站前，此刻下著傾盆大雨，他的頭髮濕淋淋的貼在臉上，夾克上濺得全是血和汙泥，手上緊緊握住一把菜刀，握拳的指節也因此而呈白色，雨水留過刀口。

菲利普十九歲，從他還是個孩子時，彼德森就認識他。她慢慢走向他，沉著且輕輕的安撫他，就像以前在父親的農場和馬兒講話一樣。她從他手中拿走刀子，摸摸他的頭，他安然接受；然後她把手放在他的肩上，帶著他穿過兩階石階進入矮屋去洗手間。

「先把自己洗乾淨，你看起來糟透了。」她說。這時，她的身分不是警察，菲利普讓她心疼。

他讓熱水留過雙手，他的手因接觸熱水而變紅，鏡子也蒙上一層霧氣。然後他屈身洗臉，血和汗泥流到盆底，阻塞了排水孔。他盯著洗手台說：「十八。」彼德森不懂他在說什麼，她帶他到員警值勤室的辦公桌，空氣中充滿茶香和地板蠟的氣味。

「告訴我，發生了什麼事。」彼德森說，並讓他坐在訪客席。菲利普的額頭靠在桌邊，閉上雙眼不發一語。

「你知道，我們打了電話給你的父親。」諾爾戴克伯爵立刻趕來，但菲利普唯一說的話是：「十八，那是一個十八。」

彼德森跟他父親解釋，她必須通知檢察署，她不知道是不是發生了什麼嚴重的事，而且菲利普的話又沒頭沒腦的。諾爾戴克點點頭。「當然。」他說，而且心中想著：「時候終於到了。」

——

檢察官派出兩名刑警從縣城出發，當他們抵達時，彼德森和諾爾戴克伯爵在辦公室喝茶，菲利普坐在窗前看著窗外，一動也不動。

兩名刑警提出讓菲利普暫時由彼德森照護，他們想和諾爾戴克伯爵回到宅邸，搜索菲利普的房間。於是諾爾戴克帶他們回家，到二樓兒子的兩個房間，一人在房間內四處查看，另一位則和諾爾戴克站在門廳前。牆上掛著數百隻當地的鹿角和來自非洲的戰利品。氣氛陰森寒涼。

這位刑警站在一頭來自東非碩大的黑色水牛頭前，牛頭內裝滿填充物。諾爾戴克試著說明兒子宰羊的事，「事情是這樣的，」他試圖尋找正確的字眼，「菲利普近四個月來殺了幾頭羊，好吧，他是割斷了牠們的咽喉，有一回被養羊的人撞見後告訴我的。」

「是啊，割斷了咽喉。」刑警說，「您這頭水牛至少有一千公斤重吧？」

「是的，接近牠們相當危險，就連獅子面對這樣的龐然巨物也毫無勝算。」

「所以，您的兒子宰了羊，是嗎？」刑警的視線幾乎無法從水牛頭上移開。

諾爾戴克認為這是個好兆頭。「當然，我付了羊隻的錢，我們也考慮過要處理菲利普的事，只是我們還是存有僥倖的心理，希望事情能自己平息……看來我們是在欺騙自己。」至於羊身上的傷痕和挖眼珠的事最好別提，諾爾戴克伯爵心想。

「他為什麼這麼做呢？」

「我不知道，」諾爾戴克說，「一無所知。」

「聽起來很奇怪，對吧？」

「聽起來是很奇怪，我們是必須處理他的問題。」

「看起來的確如此。您知道今天發生了什麼事嗎？」

「您想說什麼？」

「好啦，又是一頭羊吧？」刑警問，他就是無法從水牛抽離，還伸手摸摸牛角。

「是的，有個牧羊人先前打電話到我的手機，說又發現一隻。」

刑警心不在焉的點點頭，他為週末晚上得和一個宰羊犯共度而惱火，但是有這水牛可看還不賴。他詢問諾爾戴克伯爵能否星期一到縣城的警政總局做筆錄，他現在不想理會那些文件，他想回家。

「當然可以。」諾爾戴克回答。

另一名刑警走下樓梯，手中拿著一只古老的雪茄盒，上頭有黃色及咖啡色的雪茄廠牌標籤「Villiger Kiel」。

「我們必須扣押這個盒子。」他說。

諾爾戴克注意到，這名刑警的語氣突然變得非常官腔；還有他戴的塑膠手套，看起來也很正式。「如果您覺得這很重要的話，當然可以，」諾爾戴克說。「可是，菲利普又不抽菸，那裡面是什麼？」

「我在浴室一片剝落的瓷磚後面找到這個盒子。」刑警說，諾爾戴克則對屋內有剝落的瓷磚非常生氣。這名員警小心翼翼的開啟盒子，他的同事和諾爾戴克彎腰查看但又同時卻步。

雪茄盒內分成兩格還鋪上塑膠片，格子內各放有一枚眼珠，它們還未乾透，且有些受到擠壓，盒蓋內側貼著一個女生的照片——諾爾戴克一眼就認出她，那是莎賓娜，是菲利普小學老師葛立可的女兒，昨天她慶祝十六歲生日，菲利普也去了，之前菲利普常提起她，因此諾爾戴克認為兒子愛上了她，但是現在他面色鐵青：照片上的女生沒有眼睛，眼睛的地方被挖成兩個洞。

諾爾戴克雙手顫抖，在通訊錄中找那位老師的電話，他將話筒和耳朵保持些許距離，讓警方也能聽到雙方對話。葛立可對他的來電感到訝異。沒有，莎賓娜不在家，在生日宴會後她就直接去慕尼黑訪友。不，她還沒打電話回家，不過這很平常的。

葛立可試圖安撫諾爾戴克：「肯定一切都沒問題的，菲利普帶她去搭夜班火車。」

——

警方詢問兩位鐵路警察，又把諾爾戴克的宅邸搜得天翻地覆，也訊問過所有生日宴的賓客——還是沒有莎賓娜的下落。

法醫相驗雪茄盒內的眼睛，證實是羊的，且菲利普衣服上的血也是動物的。

在菲利普遭到逮捕後的幾個小時，有畜農又發現他的莊園後方有隻死羊。他把牠扛上肩，在雨中扛著牠穿過村裡的街道走到警察局。羊毛吸足雨水讓他的肩上更為沉重，血和水流過他的夾克。他在派出所的階梯上扔下死羊，濕羊毛撞上大門，在木頭上留下深色的痕跡。

在伯爵宅邸和村莊之間，有約兩百間矮房，途中有條狹長的田間叉路，通往堤防上那間屋頂覆蓋著蘆葦的佛里斯蘭屋，那是德國北海一帶的傳統農舍，該區方言稱此為「Dikhüs」，意思是堤壩屋。白天這裡是孩童的遊樂中心，夜間情侶們會在涼棚下相見，在這裡可以聽到海浪和海鷗的聲音。

刑警在濕答答的麥草上找到莎賓娜的手機，離此不遠處還有一只髮箍，是她生日當晚戴在頭上的，她的父親說。於是警方封所整個區域，百人刑警隊帶著警犬進行地毯式搜索，搜證人員穿著高密度聚乙烯纖維製成的泰維克材質白色防護衣到場支援協助搜證，但一無所獲。

媒體跟著警察來到諾爾戴克村，每個出現在街上的人都會被訪問，於是家家拉起窗簾，幾乎沒人會踏離家門一步，連村裡的傳統小酒館也空空如也，而肩背各式包包的記者則坐在酒吧，他們開著筆電，不停咒罵龜速的網路聯結，編造沒有發生的新聞。

連日來天雨不斷，夜晚雲層低降壓在屋頂上，連牲口彷彿都悶悶不樂，村民議論紛紛，當他們遇見諾爾戴克伯爵時，也不再和他打招呼。

在菲利普被捕的第五天，檢察署發言人公布莎賓娜的照片，並在報上刊登尋人啟事。一天後有人在伯爵宅邸的大門上，以紅漆寫下「凶手」二字。

菲利普在監獄裡，前三天他幾乎不說話，就算發出聲音，也是無法理解的。第四天他恢復神志，面對警方的審問有問必答，只有在談到羊隻時，他低下頭沉默不語。警方當然對莎賓娜較感興趣，但菲利普一再宣稱，他送她去了火車站，在那之前，他們曾到堤壩屋聊天，「就像朋友一樣。」他說。也許是在那時她遺失了手機和髮箍，不過他沒有對她做什麼。除此之外他什麼也沒說，也不願和心理醫師談。

——

檢察官克勞特負責審理本案，他這幾天睡得很糟，早餐時妻子說他夜裡猛磨牙。他的問題在於，截至目前為止沒有任何事發生。菲利普．馮．諾爾戴克殺了幾隻羊，但這只涉及物件損壞及違反動物保護法，且因羊隻已由他父親付錢賠償，因此並未造成對方的財物損失，且對方也沒有提出告訴。莎賓娜雖然未如預期去慕尼黑訪友，「但她是一個年輕女孩，沒和家人聯絡，可能是出於千百個無傷大雅的原因。」克勞特對妻子說。而且幾乎無法單憑這只雪茄盒就推斷菲利普殺了莎賓娜，即使審查庭法官截至目前為止還是依照他提出的羈押聲請書辦案，克勞特內心還是很不自在。

鄉下地方不太有這麼多疑點的案子，因此只能趕快先為菲利普做了身體檢查，結果顯示腦部沒有器質性缺陷、中樞神經系統沒有病變、染色體也沒有異常。「但是，」克勞特說，「他毫無疑問是個瘋子。」

當我第一次見到檢察官時，菲利普已被拘留了六天，隔天就得進行羈押審查。克勞特非常疲倦，但因有人能分享他的看法，因此看起來很愉快。「根據威爾弗立德．羅西的觀點，」他說，「性變態行為會持續惡化。如果之前受害的都是羊隻，為什麼現在不會擴大到人呢？」

威爾弗立德．羅西生前為刑事精神病學先驅，性變態行為會越來越嚴重的觀點，是他的理論的重點之一。但就菲利普的行為來說，在我看來根本不是性變態。

在和克勞特會面前，我和受諾爾戴克伯爵所託、協助銷毀羊隻屍體的獸醫談過。警方什麼事都做了，就是沒訊問獸醫，也許是沒人想到吧。這位獸醫是個非常細心的觀察者，對他來說這些事件極不尋常，於是他為每頭羊都做了簡要的紀錄。我把他的記載內容交給檢察官，他匆匆瀏覽，每頭羊身上都有十八處刀傷。克勞特看著我，警方也對菲利普只說「十八」而議論紛紛。這一切和這個數字可能有關。

我說，我不認為菲利普有性方面的障礙，法醫相驗最後一頭死羊，結果顯示羊的死亡並未刺激菲利普的性欲，沒有找到精液，也沒有跡象顯示他性侵羊隻。

「我不認為菲利普是性變態。」我說。

「那麼是什麼？」

「或許是精神分裂。」我說。

「精神分裂？」

「是的，他可能害怕某個東西。」

「這有可能，但他不肯和心理醫師談話。」克勞特說。

「他也不必這麼做，」我回答，「案情很簡單，克勞特先生，您什麼都沒有，沒有屍體，沒有任何犯罪證據，甚至連線索都沒有，但卻把菲利普．馮．諾爾戴克關起來。殺了一頭羊，卻因對莎賓娜．葛立可重傷害致死遭到羈押，簡直是胡來。他之所以遭到羈押，只是因為您有不祥的預感。」

克勞特知道我說的有道理，而且我也曉得他知道我曉得這事。有時候當辯護律師比當檢察官輕鬆，我的任務是偏袒當事人，找出有利證據為他辯護，而克勞特則必須保持中立，但他做不到。「如果那女孩能出現就好了。」他說。

克勞特背靠著窗戶坐著，雨水打在窗玻璃上，化作一條條水紋往下流去。他將辦公椅轉向，面朝窗外，跟隨我的視線望著灰濛濛的天空。我們就這樣靜靜的坐著看雨，沒有人開口說一個字。

——

我夜宿諾爾戴克伯爵家，距離上一次住在這裡是十九年前菲利普受洗時。晚餐時有人拿石頭砸窗戶，諾爾戴克說，這是本週來第五次了，沒必要為這種事打電話給警察，只是我最好把車開進穀倉裡，不然明早就會發現輪胎被劃破。

近子夜時我躺在床上，菲利普的妹妹維多利亞走進我的房間，她才五歲大，穿著一件色彩繽紛的睡袍。「你可以把菲利普帶回來嗎？」她問。我起身抱起她，讓她坐在我的肩膀上帶她回床上睡覺。房間門夠高，因此她的頭不會撞上門框，這是老房子的少數優點之一。我坐在她的床邊，幫她蓋好被子。

「妳感冒過嗎？」我問她。

「有啊。」

「妳知道嗎，菲利普的腦袋有點感冒，他病了，我們要等他好起來。」

「他的腦袋要怎麼打噴嚏呢？」她問。我的例子顯然不太妙。

「我們不能在腦子裡打噴嚏。菲利普就是有點混亂，大概就像妳做惡夢那樣。」

「但只要我睡醒，就都好了。」她說。

「就是這樣，菲利普一定要好好的醒過來。」

「你會帶他回來嗎？」

「我不知道，」我說，「但我會試試看。」

「娜汀說，菲利普做了很恐怖的事。」

「娜汀是誰？」

「是我最好的朋友。」

「菲利普不恐怖。維多利亞，妳現在該睡了。」

維多利亞不想睡，她很擔心哥哥，也對於我知道得這麼少不太滿意。然後她說她想聽故事，於是我隨口編了一個沒有羊也沒有病痛的故事。她睡著後，我拿來卷宗和筆電，在她的房間工作到清晨。在這中間她醒了兩次，短暫的坐起來，看著我然後繼續睡。將近六點時，我在大廳擺放的幾雙雨鞋中，借穿了主人的，走到院子抽根菸。天氣又濕又冷，我徹夜未眠，而離羈押審查也只剩八小時。

這天還是沒有莎賓娜的下落，她已經失蹤一個星期了，克勞特檢察官對菲利普提出延押聲請。

羈押審查多半是讓人不愉快的庭期，在法律上是指審查被羈押人是否有所謂的重大犯罪嫌疑。這聽起來簡單明瞭，但事實上並非如此。此時偵查通常才剛開始，訴訟即將展開，案情往往還漫無頭緒，但法官卻不能輕忽以待，因為他要決定的是一個可能無辜的人的自由。和開審理庭相較下，羈押審查沒那麼正式，且並未對外開放，法官、檢察官和辯護律師並不穿法袍，而是就實際面嚴肅討論是否繼續羈押。

菲利普．馮．諾爾戴克的審查庭法官是個剛結束見習期的年輕人，他戰戰兢兢，不想出任何差錯。半小時後他說，聽了雙方的論點後，他決定本案以庭外裁定方式進行，也就是說，他想多利用十四天的時間等候調查的結果。所有人對此裁決都不滿意。

當我走出地方法院時，依然下著傾盆大雨。

——

在航行於丹麥科倫與德國弗倫斯堡間的某艘渡輪裡，莎賓娜就坐在甲板間艙的木板長凳上。即使陰雨連綿，她在那個只有一間家具店和小沙灘的溫泉地，和拉爾斯度過幸福的一星期。拉爾斯是個年輕的建築工人，背上刺有所屬足球隊隊名的刺青。因為莎賓娜的父親不喜歡拉爾斯，於是她便瞞著父母和他度假一週。她的父母信任她，她想，反正他們不會主動打電話找她。

拉爾斯送她上船後，莎賓娜就非常害怕。她一踏上小渡輪，那個穿著破爛夾克的男人就一直盯著她，而且還肆無忌憚的看著她的臉，現在還朝她走來。當男人開口說：「妳是莎賓娜．葛立可嗎？」時，她正想起身走開。

「嗯，是的。」

「老天，小女孩，馬上打電話回家，大家到處在找妳！妳看看這報紙！」

不久，莎賓娜父母家的電話鈴響，半小時後，克勞特檢察官打電話給我。他說，莎賓娜只是和男朋友出去玩，預計下午會回來。菲利普獲釋，但他必須接受心理治療，這點我和菲利普及他的父親都約定好了。克勞特要求我接手處理菲利普就醫一事。

——

我接菲利普出獄，監獄建築外觀是看似錨形的石屋。菲利普很開心能重獲自由，也慶幸莎賓娜沒事。在回家前我問他有沒有興趣散散步，於是我們就沿著田間小路前進，在我們頭頂上方，有片像德國表現主義畫家埃米爾・諾爾德筆下的天空。雨停了，可以聽到海鷗的叫聲。我們聊到他的寄宿學校、他對摩托車的熱愛和他目前所聽的音樂。然後他突然說起一些沒頭沒腦、那些他不願意對心理醫師說的話。

「我會在人和動物身上看到數字。」

「什麼意思？」

「我看到人或動物時，就會看到數字。例如後面那頭牛是三十六，海鷗是二十二，審判長是五十一，檢察官是二十三。」

「這些數字是經過你思考後才出現的嗎？」

「不是，是我看到的，一眼就看得到，就像是另一張臉。我沒有思考，它就在那裡。」

「我也有數字嗎？」

「有，你是五，一個很棒的數字。」我們兩個都忍不住笑了，這是他被關後第一次笑。然後我們沉默的並肩走了一小段路。

「菲利普，十八這個數字有問題嗎？」

他驚嚇的看著我。「為什麼要提到十八？」

「你在警方面前一直說起這個數字，而且每頭羊你都殺了十八刀。」

「不，不是這樣的。我是先殺了羊，然後在牠們身上兩側和背面都各刺六刀。我也必須把牠們的眼珠子挖出來，這很難，第一頭的就挖壞了。」菲利普開始發抖，然後他突然說出：

「我怕十八，它是魔鬼，三個六，你懂嗎？」

我疑惑的看著他。

「〈啟示錄〉，反基督者，這個數字是獸名和魔鬼的數字。」他幾乎大喊出來。

六六六的確是聖經的數字，出現在〈約翰啟示錄〉，經文中提到：「在這裡應有智慧，凡有明悟者，就許他計算獸的數字；因為那是人的數字之一，而牠的數字是六百六十六。」民間一般相信，使徒約翰在這裡指的就是魔鬼。

「如果我不殺那些羊的話，牠們的眼睛將會燒燬大地，牠們的眼球是罪孽，是分辨善惡樹上的蘋果，它們會摧毀一切。」菲利普開始嚎啕大哭，無助的像個孩子，他全身都在發抖。

「菲利普，你聽我說，你會怕羊和牠們無辜的眼睛，這我能理解。但是你說的那些關於〈約翰啟示錄〉的事都是無稽之談。約翰的六百六十六不是指魔鬼，而是影射迫害基督教徒的羅馬暴君尼祿。」

「什麼？」

「如果把尼祿的希伯來文名，依希伯來數字編碼相加就是六百六十六。這就是這個數字的所有意義，只是約翰不能把它寫出來，必須把它弄成密碼，這和反基督徒無關。」

菲利普還在哭，告訴他聖經上根本沒提到伊甸園裡有蘋果樹是沒有意義的，菲利普活在他自己的世界裡。不知何時他終於平靜下來，於是我們也走回車上。空氣剛被雨水洗滌過，聞起來有海水的味道。「我還有一個問題。」過了一會兒我說。

「什麼？」

「這些和莎賓娜有什麼關係？為什麼你要在照片上挖掉她的眼睛？」

「在她生日前幾天，我在房間看到她的眼睛。」菲利普說。「她的眼睛變成羊的眼睛，然後我就明白了。在她生日當晚，我在堤壩屋告訴她這事，但是她不想聽，她很害怕。」

「她的名和姓都是由六個字母組成的。」

「你想殺她嗎？」

菲利普久久注視著我。然後他說：「不，我並不想殺人。」

——

一星期後我帶菲利普去瑞士一所精神病院，他不想有父親跟著。在我們將行李安頓妥當後，院長接待我們並帶我們參觀明亮又現代的建築。以精神醫療院所的標準來看，菲利普在那裡得到很好的照顧，如果精神病院真有所謂的「很好的照顧」的話。

先前我和菲利普的主治醫師在電話中談了很久，他從電話那頭的推斷，菲利普的情況為一般所說的偏執型精神分裂症。這病並不罕見，估計約百分之一的德國人一生會得一次這種病，他們會出現強制性的思考及感知障礙，大多數患者有幻聽症狀，感覺自己被跟蹤，或將天災的發生歸咎於自己，或是像菲利普一樣，受到幻想所苦。精神分裂症需靠藥物及時間來治療，病人要信任醫生才能打開心房。治療後痊癒的機率約為百分之三十。

結束參觀後，菲利普帶我走到小門。他終究還只是個孤單、憂鬱又膽小的年輕人。他說：「你從來沒問我，我是什麼數字。」

「的確。那麼，你是哪個數字呢？」

「綠色。」他說，然後就轉身走回院裡。

拔刺的男孩

費德麥亞這輩子換過許多工作，他當過郵差、服務生、攝影師、披薩師傅，還當了半年的鐵匠。三十五歲時他在市立博物館應徵警衛的工作，而且意外的被錄用。

在他填完所有表格、回答所有問題並繳交識別證所需的大頭照後，有人帶他到衣帽間，發了三套灰色制服、六件藍色襯衫、兩雙黑鞋給他。有位同事帶他參觀整棟建築，告訴他餐廳、休息室及洗手間的位置，並教他如何打卡，最後帶他到日後他要看守的展廳。

當費德麥亞在博物館了解環境時，人事室涂爾高小姐正在整理他的資料，並將相關資料傳給會計室，同時也做好手寫檔案。她把這名警衛的名字抄在小卡片上，並在某個卡片盒中歸檔。為了使館內工作人員的勤務有足夠的變化，每六個星期，他們會輪調到其他市立博物館。

涂爾高小姐想起男友，在他們因工作輪調而相遇近八個月後的昨天，他在咖啡館向她求婚。他漲紅著臉、吞吞吐吐的、手汗淋漓，濕熱的手掌在大理石桌面留下手印。她高興的跳起來，在大庭廣眾下親吻他，然後他們大步跑回他家。現在她累壞了，滿腦子全是計畫；他說好要來接她下班，待會他們就能碰面。她在洗手間待了半小時，然後削削鉛筆、將各式迴紋針分門別類、在走廊上閒蕩，終於熬過了漫長的等待時間。披上外套後，她快步跑下樓，在大門口跌進他的懷中。涂爾高小姐忘了關上窗戶。

稍晚清潔婦打開辦公室大門時，一陣疾風襲來，吹散了那些填好的索引卡片，它們被吹到地板、掃進畚箕裡。隔天涂爾高小姐發現時，補上了所有卡片，獨獨遺漏了費德麥亞的資料，於是他的名字就未被排入輪調名單中；而當涂爾高小姐隔年因生孩子而離職後，大家就遺忘了這件事。

對此，費德麥亞從不抱怨。

——

約一百五十平方米大小、挑高八米的大廳幾乎是空蕩蕩的，牆壁和半圓形天花板是磚砌的建築，磚紅色的牆面沾染一層石灰，而有了溫暖的色澤。地板鋪著灰藍色的大理石，那是博物館十二座相連的側廳的最後一座。大廳中央擺放有一座半身塑像，安置在石頭底座上。在三扇高窗的中間那扇下方，擺放了一張椅子，左邊的窗台上，有一只空氣濕度計罩在玻璃蓋下，發出微弱的滴答聲。窗前的庭院有棵栗子樹，最近的警衛在離他四個廳外執行勤務，偶爾費德麥亞會聽到遠方傳來橡膠鞋後跟踩在大理石地板的刺耳聲。除此之外，周遭一片寂靜，費德麥亞只是坐著等待。

最初的幾個禮拜他很亢奮，每五分鐘就站起來一次，在他看守的展廳走來走去，數著他的步伐，為每個訪客的到來開心不已。費德麥亞會自己找事做，他以一把木尺丈量大廳，起初他量出一方大理石地磚的長和寬，再由此計算地板面積。然後他發現到，漏算了接縫處，於是再補測量這部分並將之加總。要量牆面和天花板就難多了，不過費德麥亞有足夠的時間。

他在一本學生作業簿中記下每筆測量數字，他測量門和放鎖的小盒子、把手的長度、門檻尺寸、電暖器、窗戶把手、雙層玻璃窗的距離、空氣濕度測量器及電燈開關的周長；他知道在這個空間裡有多少立方米的空氣；一年中有哪幾天陽光會灑進來照射到多遠、落在哪幾片大理石地板上；他也知道空氣平均濕度和它在早上、中午及晚上的變化；他計算出，從入口算來第十二道磁磚縫隙，比一般的窄了半毫米；左邊第二個窗戶把手下方，有一處不知從哪來的藍色汙點，因為整個大廳沒有藍色；電暖器有個地方的塗漆上得不完全，還有後牆的磚瓦上，有三個大頭針大小的洞。

費德麥亞也會計算訪客人數，計算他們在他的展廳逗留多久，從哪一個角度欣賞雕像，他們眺望窗外的頻率，以及哪些人會對他點頭；他製作了關於男性及女性訪客的統計表格，包括孩童、學生戶外教學的班級及老師人數，還有訪客所穿的夾克、襯衫、大衣、毛衣、長褲、裙子和襪子的顏色；他還計算某個人在參觀他的展廳時呼吸的次數，並記錄哪塊大理石地板被踏上幾次，還有訪客說了多少話及用了哪些字；此外，還有一份統計數字是關於髮色、膚色及眼睛的顏色；另一份則是圍巾、手套、領帶的服飾配件；也有一份是關於禿頭、蓄鬍及戴婚戒者的訪客人數；他還細數蒼蠅數量，且試圖了解牠們的飛行系統並記錄其降落地點。

——

博物館改變了費德麥亞。他晚上漸漸無法忍受電視機的聲音，起初他把電視調成靜音，半年後則再也不看電視，後來乾脆把它送給對面新搬來的大學生情侶。下一步是處理彩色的畫作，他有〈蘋果和桌巾〉〈向日葵〉及〈瓦茲曼山頂〉等專業的複製品，不知何時那些色彩讓他很煩，於是他把這些複製畫取下，扔進字紙簍。他一步步的把房子清空，舉凡圖片、花瓶、雕花菸灰缸、桌墊、淡紫色的毯子，還有兩個繪有西班牙千年古都托雷多城的盤子都無一倖免。他拆下壁紙，把牆面抹平，並補上白色石灰土，然後拿走地毯，並把地板磨平。

幾年後，費德麥亞的生活發展出固定的模式：每天早上六點整起床，然後不論晴雨都在市立公園循著環園步道步行一周，走上五千四百步。慢慢的，他知道人行穿越道的號誌何時會轉成綠色。只要發生任何意外，讓他無法完成所有細節，他這一天就會感覺不愉快。

每晚他穿著一件舊褲子跪在地板上打蠟，這是件很辛苦的工作，得持續一個小時，完成後他會心滿意足。他仔細做完所有家務，然後可以安安穩穩的睡個好眠。每星期日他會到同一家餐廳，點份烤雞並配上兩罐啤酒，通常他會跟這位從小學時就認識的店主聊天。

在到博物館任職前，費德麥亞一直都有固定的女友，後來卻對她們越來越不感興趣。對他來說，女友是「很大的負擔」，他對餐廳老闆這麼說，「她們很吵而且一直提出一些我不知道答案的問題，而關於工作也沒什麼好跟她們說的。」

費德麥亞唯一的興趣是攝影，他有一部漂亮的萊卡相機，是他以低廉的價格買來的二手貨。他在之前的工作中學會自己沖洗照片，因此在儲藏室內設置了暗房，但在博物館待了幾年後，對此他也沒興趣了。

他固定會打電話問候母親，每三個星期還會去看她，但她過世後他就再也沒有親戚。費德麥亞乾脆把電話也退掉了。

他的人生安安靜靜的流逝，他避免任何可能的刺激，既非幸福也沒有不幸福——費德麥亞對生活很滿意。

直到他開始對雕像感興趣。

——

那是〈拔刺的男孩〉，是某個古代題材的雕塑作品。有個裸體的男孩坐在岩石上，背向前弓起，翹起左腳放在右大腿上，左手撐住左腳腳背，右手從腳跟拔出一根刺。這件在費德麥亞看守的大廳展出的大理石雕像，是古希臘原作的羅馬風格複製品，它有數不清的複製品，並不是什麼價值連城的原作。

費德麥亞很早就開始測量這件雕像，他閱讀所有找得到的相關資料，甚至能在腦海中畫出雕像投射在地板上的影子，但在博物館任職的第七到第八年間（確切的時間他不記得了），他開始坐在椅子上，眼睛盯著這件雕像，但卻沒在看它。突然間他問自己，男孩是否找到了腳上的刺？他不知道這問題是怎麼冒出來的，它就是在那裡，然後再也揮之不去。

他走到雕像旁研究它，在男孩的腳上沒找到那根刺，於是他變得緊張起來，這種感覺幾年來從沒有過。費德麥亞非常緊張，他盯著雕像的時間越長，就越不確定裸體男孩到底有沒有找到刺。這個晚上費德麥亞睡得很不安穩，隔天早上他取消了環繞市立公園一周的行程、打翻了咖啡，太早到博物館而得在職工入口處等大門開啟。他的口袋中有一只放大鏡，他快步奔向他看守的展廳，一毫米一毫米的檢查雕像。他找不到那根刺，無論在男孩的大拇指、食指或腳上都沒有。費德麥亞思索著，是不是男孩的刺掉了，他在雕像四周跪下來，繞著地面尋找。然後他覺得不舒服，到洗手間嘔吐起來。

費德麥亞希望自己永遠沒發現刺這事。

接下來幾週他狀況越來越差。他每天坐在大廳面對男孩思考，想像男孩會玩的遊戲，也許是捉迷藏或足球。「不，」費德麥亞想到他在書上讀過，「那一定是賽跑，這在古希臘是非常受歡迎的運動。」然後他踩到了一根小小的刺，那一定很痛，讓他再也無法上場。其他人都往前跑了，但他卻必須坐在石頭上休息，而這根該死的看不到的刺，幾百年來都藏在腳裡拔不出來。費德麥亞越來越不安。幾個月後，他一睡醒就感到憂心忡忡，常常在休息室逗留很久，同事在背後稱他為「僧侶」。用餐時刻他也設法和每個遇到的人閒聊，想盡辦法要晚點進去展廳。當他在男孩身邊時，他無法注視它。

情況越來越糟。費德麥亞開始盜汗、心跳變快、還會啃自己的指甲。他幾乎再也無法入眠，就算只是打個盹兒，也會因噩夢連連而渾身濕透驚醒，他的生活對他來說不再有意義。不久後他覺得，那根刺是長在他的腦子裡，而且一直在長大，現在已經碰觸到頭蓋骨內側，他可以聽到唏唏嗦嗦的聲音。截至目前為止在他生活裡的空無、寧靜和井然有序，因這根尖銳的刺而轉變為一場混亂，他身處其中無處可逃。他的嗅覺不見了，不時感到呼吸困難，有時還會覺得空氣太稀薄，並因此而打開展廳的窗戶，而這是館方嚴格禁止的。如今，他進食的份量極少，因為他覺得吃東西時會窒息。他深信，男孩的腳開始發炎，當他看著男孩時，非常確定男孩天天都在長大，他必須幫他從疼痛中解放出來。於是，他想到了圖釘。

——

他在一間文具店買到一盒圖釘，釘頭是吸睛的鮮明黃色，在所有圖釘中，他挑了最小的，這樣就不會太過疼痛。三條街外有家鞋店，費德麥亞無須久等：有個瘦男人試鞋後痛得大叫，以一隻腳跳到長凳旁，邊罵邊拔掉腳趾上的黃色圖釘，他以大拇指和食指拿著圖釘對著光線，並拿給店內其他客人看。

親眼目睹此景，費德麥亞的腦子釋出大量腦內啡，幾乎讓他站不穩。這種純粹的幸福感充盈著他長達幾個小時，所有壓抑與無力感瞬間消失得無影無蹤，他想擁抱那個受傷的男人和整個世界。這種醺醺然的感覺，讓他在失眠幾個月後，終於得以一夜好眠，而且整晚重複著同樣的夢：男孩拔出刺，站起來開心的笑了並跟他招手。

十天過去後，他又陷入先前的困局，感覺到男孩似乎再次責備的看著他，並將受傷的腳伸向他，費德麥亞嘆了口氣，但是他知道可以怎麼做，那盒圖釘還在他的包包裡。

如今他在博物館服務了二十三年，再過幾分鐘他的職業生涯就要結束。費德麥亞站起來、動動雙腿，這陣子雙腿常因久坐發麻。現在只要再過兩分鐘，一切終將結束。他把椅子放在中間那扇窗下，就如同他在第一天上班時發現它所在的位置，把它挪放好並以夾克袖口擦乾淨，然後他最後一次往雕像走去。

——

過去二十三年，他從沒碰過這雕像，而現在將要發生的事，也不在費德麥亞的計畫之中。他看著自己如何以雙手環抱雕像，當他從底座抱起雕像時，感覺到大理石的冰涼與光滑，它比他想像的要重一點。他將它舉在面前，先近距離觀看它，然後高舉過他的頭部、雙手不停往上高舉，現在他墊著腳尖，並把雕像高舉到他所能做到的極限。這個姿勢他撐了將近一分鐘之久，然後開始顫抖起來。他深深吸了一口氣，使盡全力將雕像拋在地面上並發出驚天一吼。費德麥亞這聲吼叫聲之宏亮，為他此生所未聞。他的吶喊迴盪在各個展廳，穿過一道又一道的牆，且因他的叫聲之淒厲，嚇得位在九個展廳外附設咖啡館的服務生，砸了滿手的餐盤。雕像伴隨著沉重的響聲，在地面上碎裂一片，有塊大理石地板也因此龜裂。

接著發生某些不可思議的事。費德麥亞覺得他血管中的血似乎換了顏色，變成淺紅色，他感受到淺紅色的血從胃部透過脈動，流經整個身體，一直蔓延到手指及腳趾尖，由體內照亮他。裂開的磁磚、凹凸的磚牆以及飄忽的塵粒變得立體了起來，並且向他一擁而上，四處紛飛的大理石碎片也似乎停滯在空氣中。然後他看到那根刺，它散發著獨特的光芒，他能同時看到它的所有面向，直到它消融於空氣之中。

費德麥亞跪了下來，慢慢抬起頭來看向窗外，栗子樹矗立在柔和的新綠中，是那種只有在剛開春那幾天才會出現的嫩綠，午後的陽光在展廳的地面上投射出流動的光影。疼痛不復存在。費德麥亞感覺到一股暖意拂過臉龐，他的鼻子好癢，然後他開始大笑起來。他笑啊笑，笑啊笑，捧腹大笑著，無法遏抑。

—

兩名把費德麥亞送回家的警察，對他的家徒四壁大為驚訝，他們帶他到廚房，讓他坐在兩張椅子中的其中一張，想等他平靜下來或許可以解釋為什麼要砸毀雕像。

其中有名員警想找浴室在哪，無意間打開了臥室門，走進陰暗的房間，在牆面上摸索尋找電燈開關。然後他看到了：牆面及天花板上貼了上千張照片，張張相互交疊，沒有一絲一毫的留白，連地面和床頭櫃都擺滿了照片。它們都是同樣的主題，只是地點不同：照片上是坐在階梯、椅子、沙發或窗台上的男人、女人或孩童，地點有游泳池、鞋店、草地上或海岸邊，而所有影像中的人，都在設法拔出腳上的黃色圖釘。

博物館館長向檢方告發費德麥亞毀損財物，並打算向他求償。檢察官也對數百起傷害案件展開調查，執勤檢察官裁定費德麥亞必須接受精神方面完整的檢查。精神科的鑑定結果出人意表，心理醫師無法確定費德麥亞是否精神異常：一方面，他認為費德麥亞深受精神疾病所苦，另一方面也可能透過損毀雕像此舉而獲得療癒。費德麥亞可能有危險性，現在他會用圖釘犯案，有朝一日可能會使出刀子，但是也可能不會。

最後檢察官將全案移交參審法庭，這意味著，檢方估計嫌犯刑期在二到四年。

如果控訴成立，法院就必須裁決，是否將全案交付協商。法官如果認為判刑的機率高於宣告無罪的機率，他才會允許訴訟程序展開，至少在教科書上是這麼寫的。實際上，其他問題往往扮演著更重要的角色，沒有法官樂於見到自己的裁決遭到高院駁回，因此即使他們認為被告終究會無罪開釋，還是會開審理庭。如果法官不想開庭的話，那麼可能會先找檢方商談，確認檢方不會提訴。

法官、檢察官和我坐在法官研究室討論本案，對我來說，檢方所持的證據是不足的：除了照片之外，控方無法提出任何證人，而且那些照片是何時拍的也不清楚，或許他的犯行早已過了法律追訴期，誰知道呢？專家的鑑定書內容乏善可陳，費德麥亞也沒有坦白認罪，值得討論的只剩下雕像的毀損。對我來說，博物館館長要負主要責任，這是非常清楚的，因為他遺忘了費德麥亞，把他封鎖在一個展廳長達二十三年。

法官同意我的觀點，他非常氣憤的說寧願看到的是博物館館長坐在被告席上，畢竟博物館是公家單位，卻把一個人逼到崩潰邊緣。法官想以情節輕微做出不起訴處分，但他很清楚，這需要尋求檢方的支持，而我們的檢察官還沒準備好要支持法官的裁決。

幾天後我收到不起訴處分通知書，當我打電話向法官詢問時，他告訴我檢察總長出人意表的同意法官的裁決。理由當然不會公開告知，但卻不言可喻：如果訴訟繼續進行，那麼博物館館長就必須在言詞辯論的過程中，面對令人難堪的問題。而氣憤的法官會放手讓辯方律師全力反擊，於是費德麥亞會被從輕量刑，但是市政府和博物館得要面對公眾的指責。

館方後來也放棄民事求償。在和博物館館長共進午餐時，他告訴我，幸好費德麥亞看守的不是「莎樂美的展覽廳」。

費德麥亞還是保有他的退休俸，館方發布一則幾乎不被注意到的告示，示文中提到雕像因意外而損毀；費德麥亞的名字沒有出現在告示中，而他再也沒有用過圖釘。

館方將雕像的碎片撿好放在紙箱中，並將之帶到館內的文物修復室。一位修復師接獲修復這件作品的任務，她把碎片攤在鋪有黑布的桌子上，為每個碎片拍照並將之記錄、列成清單。

當她開始工作時，修復室內一片寂靜。她打開一扇窗，春天的溫暖流入室內，看著那些碎片，她點起一根菸。完成學業後能在這裡工作，她覺得很幸福，拔刺的男孩是她接到的第一個大任務，她知道，要把所有碎片拼接起來，需要很長的時間，好幾年吧，或許。

桌子的對面擺著一只來自京都的木製小佛像，它的年代久遠，只是額頭上有一道裂縫。佛像微笑著。

愛情

她的頭枕在他的大腿上小睬了一會兒，那是個暖洋洋的夏日午後，窗戶開著，她感覺很幸福。他們認識已有兩年，兩人都在波昂念企管，一起去上課，她知道他愛她。

派崔克撫摸著她的背，他覺得這本書很無聊，他不喜歡赫曼．赫塞，只是因為她想聽，才為她朗讀赫塞的詩。看著她赤裸的皮膚、她的脊椎及肩胛骨，他情不自禁的以手指在她的背上跟著背部線條畫著。床頭櫃上有把瑞士刀，是他用來切蘋果給她吃的。他把書放在一旁，拿起這把刀。她雙眼微睜，看到他又勃起，不禁笑了起來，他們才剛剛歡愛過的。他打開瑞士刀，她抬頭往他的陰莖看去，然後她感覺到背部有刀劃過。她大叫的跳起來，打掉他的手，刀子飛到鑲木地板上，她可以感覺到血沿著脊背往下流。他不知所措的看著她，她打他耳光，然後抓起放在椅子上的衣服，衝進浴室。他所住的學生宿舍是在老房子的底層，她匆匆穿上衣物，從窗戶爬出去，快速逃離那裡。

四個星期後，警方寄發訊問傳票到他的戶籍地址，因為他和許多大學生一樣，沒有去市政廳更改地址，因此傳票沒有寄到波昂，而是落入柏林他父母家中的信箱。他的母親以為那是一張罰單，當場就拆開來看。當天晚上，這對父母討論了很久，不知自己哪裡做錯了，然後父親打電話給派崔克。隔天早晨，他的母親和我的祕書約了談話時間，一個星期後，這家人來到我的事務所。

他們都是安分守己的人，父親是建築承包商，有副粗壯的五短身材，沒有下巴；母親年近五十，從前當過祕書，精力充沛、有強烈的主導性格。派崔克不太像他的父母，他是個非常俊秀的青年，有著修長的雙手和深褐色的眼睛。他描述事發經過，他和妮可在一起兩年了，從沒吵過架。每講兩句話，他的母親就會插話補充。然後她說了，這當然是個意外。派崔克說，他很遺憾，他非常愛她，想跟她道歉，但再也聯絡不上她。

她的母親嗓門大了起來：「這樣最好，我也不想要你再看到她，反正明年你就會到瑞士聖加侖大學讀書。」他的父親則不多言，在會談最後才問道，派崔克會不會有麻煩。

我想，這是件可以很快解決的小案子。全案已由警方送交檢察事務官署。我也和接手本案的檢察事務長通話，她的業務範圍非常龐雜，涵蓋所有家事法案件，其中又以家暴為主。每年有成千上萬的案子，多半是酗酒、嫉妒及爭奪子女監護權等等。她同意我很快可以查閱本案相關檔案。

兩天後，將近四十頁的資料出現在我的電腦上，女孩的背部有一道十五公分長的傷口，傷口很平滑，癒合得不錯，應該不會留下傷疤。但是我非常確定，這道刀傷不是意外，如果是刀子不小心掉下來，它的傷口不會是這樣的。

我請求這家人再來事務所一談，但因案子不急，因此我們約三個星期後碰面。

五天後的週四晚上，當我關上事務所的門並打開樓梯間電燈時，派崔克就坐在階梯上。我請他進事務所來，但他搖頭不肯。他兩眼無神，手指上夾著一根未點燃的香菸，於是我走進事務所取來菸灰缸，並把打火機交給他，在他身旁坐下來。樓梯間電燈的定時自動開關發出喀答一聲，然後我們就坐在黑暗中抽著菸。

「派崔克，有什麼我可以幫你的嗎？」過了一會兒我問他。

「這很難。」他說。

「凡事都很難。」我耐心的等待著。

「我還沒跟任何人說過。」

「慢慢來，不要拘束。」其實當天很冷，坐在樓梯間也不舒服。

「我愛妮可，從來沒愛過任何人像愛她那麼深。現在我用盡一切方法，她都不再和我聯絡。我寫信給她，她沒回，她的手機關機，我打電話給她最好的朋友，她也掛我電話。」

「這種事都會發生的。」

「我該怎麼做呢？」

「刑事責任不是解決不了的問題，我看過卷宗了，你不會坐牢……」

「是嗎？」

「坦白說：你沒說實話，這不是意外。」

派崔克猶豫起來，他點燃另一根菸。「是的，沒錯，」他說，「那的確不是意外。我不知道能不能把實情告訴你。」

「律師必須為當事人保密，」我說，「你告訴我的所有事情，就只有你我知道，只有你能決定我要不要說或可以跟誰說，即使你的父母也不會知道我們的談話內容。」

「對警方也是如此嗎？」

「尤其對警方和所有刑事偵查單位更是如此，我必須保持緘默，不然我自己都得面對刑責。」

「即便這樣我還是不能說。」他說。

我突然有個念頭，於是跟他說：「事務所裡有位律師，他有個五歲大的女兒，非常活潑。有一次她跟另一個小孩說了些什麼，兩人蹲在地上，她不停不停的說，越說越靠近她的朋友。她覺得自己的故事好精采，沒多久就幾乎坐在對方身上，然後還是一直說個不停，最後她終於忍不住了：她擁抱她的朋友，因太快樂太興奮而在她的脖子上咬了一口。」

我觀察派崔克聽到這故事的反應，他的表情透露出內心的掙扎，最後他終於說：

「我想吃她。」

「你的女朋友？」

「是的。」

「為什麼你想這麼做呢？」

「你不認識她，你應該看看她的背，她的肩胛骨纖細、皮膚又白又緊實，不像我的皮膚毛孔粗大、坑坑巴巴，她的皮膚緊實又光滑，上頭還有細微的金色汗毛。」

我試著回憶檔案中看到的她的背部的照片。「這是你第一次這麼做嗎？」我問。

「是的，之前只有一次這麼想，但沒這麼強烈，那次是在泰國度假，我們躺在沙灘上，我那時重重的咬了她一口。」

「那這回你想做什麼呢？」

「我不知道，我覺得，我只是想切下一塊肉。」

「你曾經吃過其他人嗎？」

「沒有，當然沒有。這種感覺只有對她，只有針對她。」他抽了一口菸，「我瘋了嗎？我終究不是吃人魔漢尼拔．萊克特，對吧？」他對自己也感到害怕。

「不，你不是。我不是醫生，但我覺得你對她的愛已經陷得太深，你自己也知道這點，甚至你也這麼說。我想，你是病了，你必須讓醫生幫你，而且事不宜遲。」

食人有不同類型，可能出於饑餓、出於宗教儀式性的原因，或伴隨性欲成分的嚴重精神錯亂。派崔克相信，電影《沉默的羔羊》中的食人魔萊克特雖是好萊塢杜撰的，但自古以來這個現象就存在著。十八世紀時，在奧地利的施泰爾馬克州，保羅．來斯格吃了六個「處女躍動的心臟」，他相信只要吃到九個，他就能變成隱形人；彼得．庫爾藤喝下他殺害的人的血；七○年代，約亞莘．克洛爾至少吃了八個人，而這八個人也都是他殺害的；柏恩哈德．約姆在一九四八年則吃掉自己的姊妹。

司法史上有許多令人難以想像的例子，當卡爾．登克一九二四年被逮捕時，在他的廚房找到人體所有可能的部位，有泡在醋裡的碎肉、滿滿一桶的骨頭、好幾鍋提煉好的人油，和一個裝了數百顆人齒的袋子。他穿的吊帶褲的紋路是由人的皮膚剪裁而成，甚至還可以看出有乳頭部位的皮膚。至於有多少人受害，至今依然不明。

「派崔克，你聽過一個名叫佐川一政的日本人嗎？」

「沒有，他是誰？」

「他現在在東京，是餐廳評論員。」

「哦，然後呢？」

「一九八一年他在巴黎吃掉了他的女友，他說他太愛她了。」

「他把她整個人全吃了嗎？」

「至少吃了某些部分。」

「然後呢？」派崔克的聲音有些激動，「他說過味道如何嗎？」

「我不太確定，只記得他好像說她的味道吃起來像鮪魚。」

「啊……」

「當時醫生診斷他有嚴重的精神錯亂。」

「我也有嗎？」

「我不確定，但我希望你去看醫生。」我打開燈，「請你等一下，我去拿精神科急診醫師的電話給你。如果你願意的話，我現在就載你去。」

「不要，」他說，「我要先想一想。」

「我不能強迫你，但是請你明天一早到事務所來，我帶你去找一位很好又很專業的心理醫師，可以嗎？」

他遲疑著，他說他會來，於是我們起身。「我可以再請問你嗎？」派崔克非常小聲的說，「如果我不看心理醫師的話會怎樣？」

「我擔心，情況會變得更糟。」說著說著，我再度打開事務所大門，把菸灰缸送回去並去找心理醫師的電話號碼。當我回到樓梯間時，派崔克已消失得無影無蹤。

隔天他也沒來，一個星期後我收到他母親寄來的信和支票，她撤銷對我的委託，這封信函派崔克也簽了名，因此它在法律上是有效的。我打電話給派崔克，但他不肯跟我說話，我也只有解除為他辯護的工作。

兩年後我在蘇黎士演講，中場休息時有位來自聖加侖的年長律師來找我，他提起派崔克的名字，並問我他是否曾是我的委託人，因為派崔克這麼說過。我問他發生什麼事，這位同僚說：「兩個星期前派崔克殺了一名女服務生，動機至今完全不明。」

衣索比亞人

那個蒼白的男人坐在草坪中央，他有張歪斜得很奇特的臉、一對招風耳和滿頭紅髮。他兩腿伸直，放在大腿上的雙手緊緊握著一把鈔票。男人盯著身旁一顆腐爛的蘋果，他觀察螞蟻如何把蘋果咬成小小塊然後把它運走。

時序是盛夏，剛過正午十二點的柏林暑氣逼人，凡是稍有理智的人，都不會自願在中午走到戶外。高樓間的狹長形廣場，是都市設計者硬是創造出來的，烈日下這些玻璃鋼骨建築反射刺眼的陽光，將熱氣聚積在地表上方。草地上的灑水器故障，這樣曬到晚上，這些草肯定會熱到乾枯了。

沒有人注意到這個男人，即便對面銀行的警報器嗡嗡作響，還是沒人注意到他。三輛警車隨後抵達，從他旁邊呼嘯而過，先有一批警察衝進銀行，另一批封鎖廣場，所有警察分批陸續抵達。

一位穿著套裝的女士和警察從銀行走出來，她一隻手放在眉毛上方，遮住刺眼的陽光，並以目光在草坪搜尋，最後她指著那個蒼白的男人。穿著綠色和藍色制服的人潮一下子就往她手指的方向聚集，警方高聲喝斥男人，其中一人還抽出警槍大喊，要他把手舉起來。

男人無動於衷，一個整天在寫轄區報告且覺得無聊透頂的員警衝向他，他想成為逮到搶匪的第一人。他猛撲到男人身上並制服他，將他的右手拉到背部。紙鈔飛到空中，警方下令制止但無人遵守，於是所有警察都圍繞著他，撿著散落一地的鈔票。男人腹部貼著地面，警方以膝蓋壓在他的背部，還將他的臉壓進草地中。泥土非常溫暖，在成排的長靴間，他又看到了蘋果。螞蟻不以為意的繼續作工，他吸進青草、泥土和腐爛蘋果的氣息。他閉上雙眼，便回到衣索比亞。

——

他生命的開端像恐怖童話故事中的情節：他遭父母遺棄。在德國北部基森附近的某個小鎮，一只閃閃發亮的綠色塑膠浴盆放在神父住處的階梯上。浴盆中有個新生兒躺在皺巴巴的棉被上，有些失溫。而凡是把嬰兒放在那裡的人，也不會留下任何線索——沒有書信、沒有照片、也沒有回憶。唯一留下的浴盆在每家百貨公司都買得到，棉被則是從聯邦軍隊流出。神父立刻通知警方，但還是找不到嬰兒的母親，於是嬰兒被送到育幼院，三個月後，院方即開放領養。

米夏卡夫婦沒有小孩，他們領養了他並為他取名為法蘭克．薩弗。他們夫婦個性嚴厲而沉默，是巴伐利亞州寧靜的上弗蘭肯區的啤酒花農，他們沒帶過小孩。他的繼父老是說：「人生不是在吃糖。」說著說著就伸出鐵青的舌頭在嘴唇上舔一下。他對待人類、牲畜和植物都是同樣尊重，但也一樣嚴格。如果妻子對孩子太好，他就會責罵她：「妳這樣是在寵壞他！」他還說牧羊人絕不會撫摸自己養的狗。

讀幼稚園時他常被人捉弄，六歲時進入小學，沒有一件事如他的意，他長得又醜又高大、特別是他太野蠻。他在學校適應不良，拼字課對他來說是災難一場，各科成績幾乎也都是敬陪末座。女生不是怕他就是討厭他的外表，他很徬徨，於是常用自吹自擂來掩飾自己。他的頭髮使他的處境更加孤立，大多數人覺得他很蠢，只有德語老師說他有特殊天賦。有時她會讓他到家裡做些簡單的修繕工作，還送給他人生第一把折疊小刀。小米夏卡以手工製作一座木製風車，送給她當作耶誕禮物，如果對著風車吹氣，扇葉就會轉動。這位女老師後來嫁給紐倫堡人，在暑假時離開小鎮。她事先沒告訴小男孩，而當他再去她家時，發現他做的風車被擱在門前的瓦礫箱裡。

米夏卡留過兩次級，他從相當於職業預校的主幹中學畢業後，就結束求學生涯，並在附近較大的城市開始當起木匠學徒。現在再也沒人會尋他開心，因為他有一百九十七公分高。因術科成績非常傑出，他才能通過學成認證考試。他在紐倫堡附近的電信單位服兵役，因為和長官吵架而在牢房待了一天。

他曾看過一部在漢堡拍攝的電影，那裡有漂亮的女人、寬敞的街道、一座海港和真正的夜生活，因此他退役後即以搭便車的方式前往漢堡。只要去到那裡應該會有光明的明天，「漢堡是自由的居所」，他曾在某處讀過。

在復爾斯布特區有家建築木工行的主人雇用他，並給他一間位於廠房上面的房間，房間乾淨舒適。米夏卡手工很細，因此他們對他也很滿意。雖然他常常看不懂專業術語，但只要看設計圖一眼，就能完全明白設計樣式，並且能修改設計圖並將之完成。後來，公司放在置物櫃的錢被偷，他就被解雇了，原因是他是最後一名被雇用進來的員工，而在這之前，公司從沒發生過竊案。兩星期後，警方在一名吸毒犯的住處找到公司的錢盒，這才發現這樁竊案和米夏卡完全無關。

後來，他在一家製繩工廠遇到當兵時的老弟兄，他介紹米夏卡到妓院當管理員。米夏卡開始在那裡打雜，這份工作讓他認識許多社會邊緣人如皮條客、地下錢莊老闆、妓女、吸毒犯、打手等等，但他盡可能和他們保持距離。在妓院底層陰暗的房間裡住了兩年後，他開始喝酒，他無法承受自己人生的悲苦。妓院裡的女人都很喜歡他，會告訴他她們的厄運，他應付不來這些，於是便為錯誤的人舉債。因為他無法如期償還，於是利息節節高升，後來遭人毒打而躺在門口，並且遭警方逮捕。米夏卡知道，他會就這樣向下沉淪。

於是他決定到國外試試，至於去哪個國家，對他來說則完全無所謂。未經長考他就拿了某個妓女的褲襪，像在電影看到的那樣，套在臉上走進銀行，以一把塑膠手槍脅迫行員，並得手一萬兩千馬克。警方封鎖街道查驗每個行人，而米夏卡在幾乎恍惚的狀態中，早已搭上往機場的巴士。他買了一張前往衣索比亞首都阿迪斯阿貝巴的經濟艙機票，因為他以為這個城市是位在亞洲，他想著，無論如何能離開德國越遠越好。沒有人攔阻他。在犯下搶案後四個小時，他就已坐在飛機上，唯一的行李是一只塑膠袋。當飛機升空時，他感到害怕。

長達十小時、也是他人生中的第一次飛行後，飛機降落在衣索比亞首都。他在機場中請了六個月的簽證。

阿迪斯阿貝巴有五百萬居民，其中有六萬名孩童在街頭流浪無家可歸。這個城市充斥著賣淫、偷竊、貧窮，還有在路邊將自身殘疾攤在陽光下的數不清的乞丐和殘障者，希望能夠搏得同情。三個星期後，米夏卡終於明白：漢堡和阿迪斯阿貝巴兩地的悲慘生活都差不多。他遇到的那些德國人，在那裡也混不開。當地的衛生條件慘不忍睹，米夏卡感染了傷寒，一直發燒、長皮疹及腹瀉，直到友人設法找來某個不知能不能算醫生的醫生，才給了他抗生素。他又走到窮途末路的地步了。

現在米夏卡確信，世界不過是一座垃圾山，他沒有朋友、沒有前途、沒有任何他可以掌握的事物。在阿迪斯阿貝巴待了六個月後，他決定結束生命，自我了結。但是他不願在汙穢之地死去，而且他身上還有約五千馬克，於是便搭乘往吉布地方向的火車，在過了德雷達瓦幾公里後，他開始步行穿越草原，夜晚則睡在地板上或夜宿在狹窄的劣質旅店，途中遭蚊子叮咬而被傳染瘧疾。在搭巴士前往高地途中，瘧疾病發，他開始打起寒顫。不知在何處他下了車，又昏又病的穿過咖啡農場，世界在他的眼前變得模糊不清。他在咖啡樹叢間跌跌撞撞，最後昏倒在地。在他失去意識之前最後的念頭是：「這一切全是狗屎。」

高燒稍退時，米夏卡醒了。他知道自己躺在床上，有位醫生和許多陌生人圍繞著他，他們都是黑人。他立刻了解到，這些人幫助了他，接著又昏昏沉沉的陷入高燒的惡夢中。瘧疾來勢洶洶，雖然這裡是高地沒有蚊子，但當地人知道如何治療這種病，因此他們在咖啡園中發現的這個外國人，會存活下來。

燒慢慢退了，米夏卡睡了將近二十四小時，當他醒來時，發現自己躺在一個白色的房間裡。他的夾克和褲子都洗乾淨、並整齊的搭在房間內唯一的椅子上，背包則放在旁邊。他試圖站起來，但兩腿一軟，眼前漆黑一片。於是他在床邊坐了十五分鐘，又試著站起來。他急著想上廁所，便打開房門走到走廊上。有個女人走向他，激動的揮舞手臂並搖頭說：「不，不，不。」她攙扶著他，催他回房間去。他以手勢清楚的讓她知道他的需求，於是她點點頭，指著床底下的一個桶子。他覺得這女人很美，然後再度入睡。

當他再度醒來時，覺得身體好多了。他檢查放在背包裡的錢，一毛不少。他走出房間四處看看，這個小房子由一房一廳和廚房所組成，處處整齊清潔；然後他來到鎮上的小廣場，空氣清新中帶著舒適的涼意，孩子們朝他蜂擁而上，他們大笑，想觸摸他的紅頭髮。當他了解他們的意圖後，便坐在一個石頭上，隨他們去，孩子們也玩得很開心。不知何時那位美麗的女人、也就是他借住處所的女主人來了，她看似責備的用力拉他回家，並遞給他雜糧薄餅，看他把薄餅全吃光光，不禁滿意的對他微笑起來。

漸漸的，他認識了這個以咖啡農為主業的村落。村民在咖啡樹叢間發現他，合力把他扛回家並到城裡請來醫生。他們對他很友善，在恢復體力後他想出力幫忙，農夫們起初很驚訝，後來就接受他的協助。

半年後他還是一直住在那個女人家裡，慢慢的他開始學習她的語言，最先學的是她的名字阿亞娜。他在筆記本中，把單字標上音標，當他發音錯誤時，她會呵呵大笑，有時她會撫摸他的紅髮，不知何時他們也接吻了。阿亞娜二十歲，她的先生兩年前在省會出車禍過世了。

米夏卡在思考咖啡種植的問題。咖啡的收成是件辛苦的差事，在十月到三月間以手工採收。他很快就抓到問題所在——這個村落是咖啡交易網的最後一個環節。那個來收取乾燥咖啡豆的男人，工作輕鬆但賺得比咖啡農還多，他擁有一輛老舊的卡車，而村裡沒有一個人會開車。於是米夏卡花了一千四百美元買了一輛好車，自己將咖啡豆載去工廠，結果賣出九倍於以往的價格，他將利潤平分給農人。接著他教村裡的青年德瑞傑開車，他們現在也聯手收取附近村落的咖啡豆，並付給農人三倍於從前的價格。沒多久，他們就能買一輛大卡車。

米夏卡思索著如何讓工作變輕鬆，他開車到省會，買來一部老舊的柴油發電機，並用報廢的輪胎鋼圈和鋼繩，在農場和村落間建造一條纜車，還製作大型木箱作為載運的容器。這條纜車線斷過兩次，後來他才找到放置木頭支柱正確的間距，並且以鋼繩來強化支柱的支撐力。最年長的村民對他的嘗試先投以不信任的眼神，但當纜車運行正常時，他也是第一個拍背讚賞米夏卡的人。現在咖啡豆可以快速運送，農人再也不必扛著沉重的豆子走回村裡，收成的速度變快，工作也不會那麼辛苦。孩子們很喜歡纜車，他們在木箱上畫上臉孔、動物和一個紅頭髮的男人。

米夏卡想更進一步改善收成成果。收成後，農人會將豆子鋪在架子上五個星期，到它們幾乎完全乾燥為止，在這之前要不時翻動。架子會放在小屋前或屋頂上。如果太潮濕，咖啡豆就會腐爛，因此攤開的豆子必須是薄薄一層，否則全部都會腐壞。這是件很費力的工作，家家戶戶必須親力親為。後來米夏卡買來水泥，調成混凝土，在村子前鋪設了一片空曠的場地，可以存放村裡所有農人的收成。他還設計了一只大型耙子，於是村民現在一起幫咖啡豆翻面，並在曬豆場上方拉起一張以透明塑膠布製成的防雨布，咖啡豆在塑膠布下面很快就能乾燥完成。村裡的咖啡農個個心滿意足，工作變少了，而且再也不會有豆子腐爛。

米夏卡了解到，如果豆子不是單用乾燥處理，那麼咖啡的品質可以再進一步改善。村旁有條小溪，泉水清澈見底，米夏卡用手水洗咖啡豆，並將之篩選分裝在三個水槽中。他透過一名中間商，以少許金錢買到一部可以將果肉和咖啡豆分離的機器。第一次嘗試沒有成功，那些用這種方式去除果肉的咖啡豆發酵過度，這讓他從中學到，所有設施必須保持絕對乾淨，一顆殘存的豆子就像會壞了一鍋粥的老鼠屎。最後，他終於還是成功了。咖啡豆經水洗並除去羊皮層上的殘餘後，再晾在曬豆場上他畫出的一小塊地方乾燥。當他帶了一袋先水洗再乾燥的豆子去到商人那裡時，他拿到三倍的價錢。米夏卡向農人解釋製程，收成好的咖啡豆透過纜車可以快速運送，如此一來咖啡豆可以在收成後十二小時內完成水洗程序。兩年後，本村村民生產出遠近馳名最好的咖啡豆。

阿亞娜懷孕了，她很期待孩子的到來，小女孩出生後，他們為她取名為蒂縷。米夏卡感到驕傲又幸福，他知道，阿亞娜拯救了他的生命。

整個村子變得富有起來，三年後全村有五輛大卡車，收成流程安排得非常完美，村裡種咖啡的人口增加，於是他們也鋪設灌溉系統，並種植防風林。米夏卡受到村民的尊敬並且名聞全區。村農會拿出部分收入作為公基金，米夏卡則從城裡找來一位年輕的女老師，教導孩童讀書寫字。

如果村子裡有人生病了，米夏卡會負責照顧。當地的醫生整理出急症備用藥品，並教導米夏卡醫學基本常識。他學得很快，曾親眼目睹毒血症要如何治療，也會幫忙接生。這位醫生晚上經常去米夏卡和阿亞娜家小坐，並敘述聖經國度中的長篇故事。他們成了好朋友。

要是有人起爭執，大家就會去問這個紅髮男子的看法，米夏卡不接受任何賄賂，也不會偏心任何部族或村落，他的判決有如正直的法官，大家都非常信任他。

他找到了他的人生，阿亞娜和他非常相愛，蒂縷健康活潑，一天天長大，米夏卡幾乎不敢相信這樣的幸福是真的。有時候——但次數越來越少，他還是會做惡夢，這時阿亞娜會安慰他。她說，在他們的語言中沒有過去。米夏卡和她在一起的這幾年，整個人變得溫柔沉靜起來。

——

不知何時當局注意到他，他們想看他的護照，這時他在衣索比亞住了六年，他的簽證也過期已久。他們很客氣，但還是堅持他必須前往首都說明此事。離開村落前向大家辭行時，米夏卡有不好的預感。德瑞傑送他去機場，他的家人追在車子後面跟他揮別，阿亞娜哭了。

米夏卡被送往位在阿迪斯阿貝巴的德國大使館，有位官員看了看電腦，就帶著他的護照消失了。米夏卡足足等了一個小時。當這位官員再度現身時，換上一張嚴肅的臉孔並帶來兩名警衛。他遭到逮捕，官員宣讀漢堡法官簽署的羈押令，他在銀行櫃檯留下的指紋，證實他犯下銀行搶案，而指紋資料庫之所以有他的資料，是因他先前曾涉及鬥毆案件而留下的。米夏卡試圖逃跑，於是被制服在地並戴上手銬。在大使館地下室的牢房待了一晚後，即由兩名安全人員押解他飛往漢堡，並把他帶到審查法官面前。三個月後，他被判處五年的法定最低刑。這刑責很輕，一來因搶案發生已久，再者也因米夏卡沒有前科。

他沒辦法寫信給阿亞娜，因為他在衣索比亞的家連地址也沒有。位在阿迪斯阿貝巴的德國大使館不能或不願意提供協助，當然，村子裡也沒有電話，他也沒有照片。他成了獨行俠，幾乎不言不語。日復一日、月復一月、年復一年。

—

三年後他首度獲准可放無需警方陪同的探親假，他想立刻回家，不想再回牢房。不過他既沒錢買機票，也沒有護照，但他知道如何取得這兩者。在牢裡他偶然間聽到柏林有人專門偽造鈔票和護照，他知道他的地址，於是便以搭便車的方式找到那裡。這時他的探親假已結束，但未準時向獄方報到，因此又被通緝。他是找到了偽造專家，但對方要先看到錢，而米夏卡的口袋幾乎空空如也。

他非常絕望，在城裡走了整整三天，沒吃任何東西也沒喝一口水，他掙扎著，他不想再犯案，但是他要回家，回到他的家人阿亞娜和蒂縷身邊。

最後，他在火車站以僅存的一點保證金買了把玩具槍，並走進他看到的第一家銀行。他看著女行員，槍管朝下，他口乾舌燥，只有輕聲的說：「我需要錢，請原諒我，我真的需要錢。」起初她不懂他的意思，了解後就把錢給他，後來她說，她很「同情」他。她給他的錢是銀行事先準備好應付搶匪的，同時她也不動聲色的按下警鈴。他拿了錢後，把槍放在櫃檯並且說：「真是對不起，請您原諒我。」銀行前有片綠色草坪，他再也跑不動了，只有慢慢走著，最後乾脆坐下來等待。這是米夏卡第三度走進死胡同。

—

一位米夏卡的獄友請求我接手他的案子，他在漢堡就認識他，並願意為他負擔律師費。我去莫阿比特法院拜訪米夏卡，他把印在司法機關慣用的紅紙上的逮捕令拿給我看：銀行強盜搶劫，為此被告所犯之前案、即在漢堡判決中未服畢之二十個月之刑期必須一併執行。為米夏卡辯護看起來是無意義的，因為他犯下新搶案被逮，且還曾因強盜搶劫被判過刑。因此重點在於刑期長短，而從重量刑是可以預期的。但是，米夏卡有某種特質打動了我，這案子也有某些部分不太一樣，感覺上這個男人不是典型的搶匪，所以我接下了為他辯護的工作。

接下來幾個星期，我常常去探視米夏卡，起初他幾乎不跟我談，看起來像在封閉自己，後來才慢慢打開心房，一點一點的敘述自己的故事。他什麼都不願透露，是因為他認為，如果在獄中說出妻女的姓名，會出賣了她們。

辯護律師可以申請心理醫師或心理學家，檢查被告的心理狀態。法庭也會追蹤檢查結果，如果能夠提出證據，就能證明被告患有精神疾病或精神異常，當然，心理醫師等專家的鑑定結果，對法庭來說是沒有約束力的，也就是說，心理醫師不能決定被告是否可以因心神喪失或精神耗弱而減輕或免除刑責，只有法庭可以裁決，但是專家可以提供科學根據作為法官判決之參考。

很明顯的，米夏卡犯下這樁銀行搶案時精神有些錯亂，沒有人會在搶銀行時跟行員道歉、然後拿著搶來的錢坐在草地上等著被逮捕，因此法庭委託心理專家鑑定米夏卡的精神狀態。兩個月後鑑定報告出爐，心理醫師推斷米夏卡在犯案時的行為能力「受到限制」，至於後續報告則會在言詞辯論時再做陳述。

—

米夏卡被捕的五個月後開庭審理本案，除了審判長和一名較年輕的法官外，還有兩名女參審員。審判長只安排了一天的庭期。

米夏卡坦承犯下銀行搶案，他答辯時猶豫遲疑、聲音太小。警方說明他們如何逮捕到米夏卡的，他們描述他坐在草坪上的樣子。那位「制服」米夏卡的警員則說，米夏卡並未加以反抗。

銀行行員說，她沒有恐懼，相反的還為搶匪感到難過，因為他看起來如此悲傷，「像條狗」，她說。檢察官問她，現在她工作時會不會害怕，她是否曾為此請病假，她是否需要接受被害者治療等等，對諸如此類的問題，她的答覆都是否定的。這個搶匪只是個可憐的傢伙，他比大多數的顧客還有禮貌。於是檢察官使出殺手鐧：如果證人受到驚嚇，那麼被告會被判處更重的刑責。

玩具槍也被當作證物加以檢視，那是中國製的便宜貨，重量只有幾十公克，看起來一點也不危險。一名參審員將它拿在手上查看時，不慎把槍掉到地上，有塊塑膠片還裂開。對於這樣的武器，大家幾乎不可能將它當一回事的。

開庭時當查明犯行後，通常會問到被告的「個人狀態」。

米夏卡在言詞辯論期間幾乎是心不在焉的，要讓他至少簡單交代他的人生，是很困難的。他非常緩慢的、一段一段的，試著敘述他的故事，但還是因詞窮而說不清楚。他和許多人一樣不會表達自己的感覺，於是由心理專家陳述被告的生活經歷，看起來會容易一些。

心理醫師做好充分準備，他巨細靡遺的描述米夏卡的人生。庭上已看過心理鑑定書面報告，但是對參審員來說，一切都是新鮮的，因此她們聽得非常專注。心理醫師訊問米夏卡的次數高出尋常許多，當他說完後，審判長轉身詢問米夏卡，心理專家所說的一切是否都屬實，米夏卡點點頭說：「是的，他說的都對。」

然後心理醫師被問到，根據他的專業評估，被告在犯下銀行搶案的心理狀態如何。他表示，米夏卡三天在城裡徒步漫遊，不曾吃下或喝下任何東西，造成他的行為能力明顯受限。米夏卡處於幾乎不知道自己在做什麼的狀態，而且他也幾乎無法決定自己的行為。法庭傳訊證人到此告一段落。

米夏卡在中間休息說，為什麼大家要為他付出這麼多心力呢，反正他會被判刑，這一切努力都沒有意義。

在刑事訴訟過程中，首先是檢察署提起公訴。德國的檢察機關不同於英、美兩國，它在言詞辯論過程中採取中立，不偏袒任何一方。他們是客觀的，他們也會調查案情是否符合免除刑責之條件，因此對他們來說，無所謂輸贏——也因此除了就法論法，他們對其他事證毫無熱情，只服膺法律與正義，至少在理論上是如此，而在一般的偵察程序中，也的確是這樣。但訴訟過程中的激情往往會改變這種情況，於是乎檢方的客觀性開始受到傷害，但這是非常符合人性的，因為一個盡責的控方依然還是控方，只是要指控被告、尤其還要同時保持中立，會變得難上加難。也許，這就是我們的刑事訴訟法中的不足之處。

檢察官對米夏卡具體求刑九年，他說，他不相信米夏卡所說的故事是真的，這故事「太不可思議因此可能是杜撰的」。而且他也不接受犯罪能力不足的論點，因為心理醫師的鑑定報告是根據被告的說法，因此不足採信。真正的事實只有米夏卡犯下銀行強盜案，「法律上對銀行搶案最輕刑責為有期徒刑五年，」他說，「但被告二度犯案，唯一可以接受減刑的理由為贓款俱在且被告坦承犯行，因此衡諸被告之犯行與罪責，九年有期徒刑是合宜適當的。」

然而，重點不在於我們是否「相信」被告的說法，法庭上講求的還是證據。因此被告的優勢在於，他無需證明自己的無辜，也不用證實自己的說法為真。但是對檢方和法庭來說，對於他們無法證實者，他們不得做任何宣稱。這聽起來容易，但實則不然。沒有人能那麼客觀，總是能清楚區分「推測」與「證實」。我們以為確切知道某件事，但這是我們錯誤的以為，而要找到並回到正確的道路，往往一點也不簡單。

在我們的時代，結辯詞不再是訴訟過程中決定性的要素。如今檢方和辯護律師不是對陪審員、而是對法官和參審員侃侃而談，任何錯誤的語氣、不當的行為如袒胸露背或過度咬文嚼字，都是難以忍受的。偉大的結辯語是前幾個世紀的事，德國人不再喜歡慷慨激昂，他們已經受夠了這些。

但是偶爾還是可以來點戲劇性的小安排，一場教人料想不到的場景即將上演。米夏卡對此完全一無所知。

有位朋友在外交單位服務，她駐紮在肯亞，透過許多關係幫我找到米夏卡的友人，即那位來自省會的醫生。這位醫師說得一口流利的英語，我和他通電話並請求他前來出庭作證。當我提出機票費用由我負擔時，他取笑我太小看他；他說，他好開心他的朋友還活著，不論天涯海角他都會來看他。此刻，他就站在法庭門口等候傳喚。

突然間米夏卡清醒過來。當醫師步入法庭時他淚流滿面，整個人跳起來，想向他奔去。警衛拉住他，但審判長示意隨他去。兩人在法庭中間相互擁抱，米夏卡高高舉起這個個頭矮小的男人，緊緊抱住他。醫生帶來了一捲錄影帶，審判長派警衛找來放影機，於是我們看到了那個村莊、纜車、大卡車、喧鬧的孩童和大人，他們一直對著攝影機揮手，並笑著呼喊「法羅克、法羅克」，然後鏡頭上終於出現阿亞娜和蒂縷。米夏卡哭了又笑，笑了又哭，開心得不能自已。他坐在他的朋友旁邊，一雙大手緊握著對方的手，激動到幾乎要把他的手壓斷。審判長和其中一位參審員的眼中有淚。這完完全全有別於一般的法庭場景。

德國刑法為罪刑法定主義，即根據一個人的罪行具體求刑，我們會問對於被告的犯行，何種程度的罪刑才是適度的。這個問題非常複雜。中世紀時則簡單多了，無論犯罪動機為何，皆依照犯行論罪。於是偷竊就一定是砍手，不論是基於貪財或饑餓而偷。那時刑罰是某種數學題目，每個犯行都會對應到一個明確的刑責。今天我們的刑法比較明智，更貼近現實生活，但要做出正確的判決也更為困難。一名銀行搶匪不會僅僅是個銀行搶匪，我們如何能責備米夏卡？他所做的不正是我們每個人都會做的？易地而處，我們會有其他選擇嗎？回到心愛的人的身邊，不是所有人類共通的渴望嗎？

米夏卡被判處兩年有期徒刑。庭期結束後一個星期，我在莫阿比特法院的長廊遇到審判長。她說，兩位參審員合力幫米夏卡湊了機票錢。

米夏卡服刑過半後申請假釋，這位執行法庭的審判長有種馮塔納小說主角廣納一切的寬容調調，他要求再聽一次全案始末，然後只嘟噥著說：「不可思議。」於是批准他的假釋申請。

現在，米夏卡又回到衣索比亞，並取得當地的國籍，然後蒂縷也多了一個弟弟和一個妹妹。偶爾米夏卡會打電話給我，他總是說他很幸福。

〈佳評分享〉

從「罪行」，認識與面對真實的人性

馬偕醫院協談中心諮商心理師　蘇絢慧

不知道是不是有人像我一樣疑惑，初拿到書稿時，我心想：「一個諮商心理師能對一本專業律師所寫的故事有什麼樣的共鳴與回應？」

當我看完本書之後，我了解到，這是一本談人性的書。而任何的助人專業其實都是為人而存在，並且試著洞悉人性，也試著照顧與關懷人的生活與生命。

因著人性，這本書所述說的故事，就不只是某地區的人才會發生的生命情節。因著人性，誰都有可能走向以罪行了結一切的地步。

讀著一篇篇故事，一種奇妙的感覺悄悄升起。馮．席拉赫筆中的故事似乎穿越時空、文化界線，故事裡的人物彷彿就是那些在我諮商室曾經出現過的人們，他們都有著難以表達的無助與孤獨，還有，一些讓人心疼的生活遭遇與情節。不同的是，我仍奮力的和我諮商關係中的當事人努力追尋解脫之道，而不是以「罪行」結束故事。

在台灣，媒體往往只報導犯罪案件的外顯罪行，我們很難真的從片斷的報導中深入了解罪行背後的生命經驗與故事。不是所有人的罪行都是出於惡意與泯滅人性，有些人的罪行是出於無奈，與太多難以表達的傷痛。他們難以逃脫他們受困的命運，被迫一步步的走向這樣的毀滅。

這些毀滅，有許多的情非得已，令人能夠有同理心，也產生憐憫之情。他們在牢不可破的痛苦與無助中，試著掙扎。但漫漫長路上，可能都沒有人明白他們所過的生活，也沒有人真的出現，伸出手解救他們內心所承受的痛苦。

而這些失去希望、走進絕望的人，在某個所能承受的臨界點犯下了無法挽回的罪行，至此，他們被歸類於惡人、犯罪之人。在往後歲月，他們成了社會制度摒棄的對象，只能繼續的失去社會的關注。他們成了社會所認定的邪惡者，繼續沉默的背負著有形與無形的責罰。

其實，所有的罪行，都不是單純的「一個人的罪行」。這些罪行都有發展的歷史，也含有許多社會環境所造成的影響與涉入。有許多罪行是發生在某段關係中，而這些關係，總是含有許多長久以來無法適可而止的傷害。當無法好好處理衝突關係，無法建立正向關係與正向情感，某個時間點，都可能導致罪行的發生。有些傷害雖然不被法律判罪，也不指稱為罪行，但不意謂它並沒有嚴重的波及或威脅另一個人的生命安全與健康，它僅僅是不被法律定義為罪，但所造成的影響與破壞，可能比一個被判斷為罪的行為更加巨大，更加難以修補。

說到這裡，我不禁開始嘀咕：「審判與定罪，真的就可以維護人們期待的社會的正義、平等與秩序嗎？」還是，我們該花更多的資源與心力投注在人們的情意教育與品格塑造，而不是當悲劇發生時，才花了許多時間與資源在分辨罪行與判刑。

當社會不再提供安全保障與希望時，當社會不再關切人們生活處境中不斷累積的壓力與虐待時，犯下罪行的可能是你，或是我。因此，閱讀這本書，可以幫助我們好好面對與認識內心的黑暗面。希望透過這本書，我們都可以好好的檢視與察覺自己內心那些可能醞釀成罪行的傷痛與壓力，早一刻為自己做出一個放過自己、善待自己，也終止悲劇發生的決定。

〈佳評分享〉

律師眼中的人性祕密

台北市女性權益促進會理事長　吳宜臻律師

如果知道我們有所選擇，就不會發生法律所不能原諒的「罪行」，這本書的十一個故事讓我們看到最原始的人性……

〈費納醫師〉是一個將自己的心理禁錮在對妻子的誓言中，而在婚姻關係中飽受精神虐待的人，最後卻動手殺死了許諾照顧一生的妻子，令人不禁想起台灣的鄧如雯因長年受到丈夫家暴的殺夫案件；〈大提琴〉的這對姊弟，姊姊知道自己承受不了弟弟的病痛與折磨，親手抱著弟弟結束他的生命，經過自首並遭到法院羈押在監獄中時，亦結束自己原本即將成為大提琴家的一生，令人想起國內日前一則關於一名八十三歲的老先生，因為不忍自己的愛妻被帕金森氏症折磨得不成人樣，決定趁她睡著之際，將釘子釘到的她腦袋裡面，將她殺死。這位老先生自首之後，宣稱是不忍自己的愛妻一直被病痛折磨，幫她做解脫的動作。安樂死是否該合法化，頓時成為熱門的話題。

還有，在〈刺蝟〉故事中聰明過人的卡林與他位於社會底層的家人間的親情；在〈幸福〉和〈夏令〉兩篇故事中的愛情與因愛而生恨的情殺事件，或甚至熱愛到足以讓人想將愛人吃下肚的另類「愛情」，令人迷惑不解的人性原始情欲；不得不讓人質疑正義是否真正存在的〈棚田先生的茶碗〉，及〈正當防衛〉中無法破案的殺人事件；在〈綠色〉與〈拔刺的男孩〉，更讓我們深入了解精神正常與不正常的界限何在，而法律似乎不認為應該去非難人類的意識與理性所無法控制的行為。當然，強調法律與正義的司法系統下，仍然可能存在著像〈衣索比亞人〉故事中的米夏卡這樣的人物，在不同社會中，好人與壞人竟可以是同一個人。

我在國內也擔任律師工作，執業近二十年，經常告訴別人這份工作的神聖之處，就是「律師可以合法且理所當然的窺探（或偷窺）當事人內心的完整想法與祕密」。作者以其在德國擔任辯護律師的辦案經驗寫下十一則故事，看完這本書，會發現故事中主角的某個想法或是處境，我們或許也曾經有過，只是，我們終究沒有成為罪犯，因為我們堅持不讓人性的弱點操縱了我們的理性選擇！

Ceci n'est pas une pomme.

這不是一顆蘋果。

雷內・馬格利特

國家圖書館出版品預行編目資料

罪行 / 費迪南．馮．席拉赫（Ferdinand von Schirach）著；薛文瑜 譯；-- 初版 -- 臺北市：先覺，2011.07
208 面；14.8×20.8公分 --（人文思潮；93）
譯自：Verbrechen
ISBN 978-986-134-173-6（平裝）

875.57　　100009637

The Eurasian Publishing Group
圓神出版事業機構
用心與你對話．視野無限寬廣
先覺出版社
Prophet Press

http://www.booklife.com.tw　　inquiries@mail.eurasian.com.tw

人文思潮 093

罪行

作　　者 / 費迪南．馮．席拉赫
譯　　者 / 薛文瑜
發 行 人 / 簡志忠
出 版 者 / 先覺出版股份有限公司
地　　址 / 台北市南京東路四段50號6樓之1
電　　話 /（02）2579-6600．2579-8800．2570-3939
傳　　真 /（02）2579-0338．2577-3220．2570-3636
郵撥帳號 / 19268298　先覺出版股份有限公司
總 編 輯 / 陳秋月
資深主編 / 李美綾
責任編輯 / 王妙玉
美術編輯 / 劉鳳剛
行銷企畫 / 吳幸芳．范綱鈞
印務統籌 / 林永潔
監　　印 / 高榮祥
校　　對 / 劉珈盈．王妙玉
排　　版 / 杜易蓉
經 銷 商 / 叩應股份有限公司
法律顧問 / 圓神出版事業機構法律顧問　蕭雄淋律師
印　　刷 / 祥峯印刷廠
2011年7月　初版
2011年7月　5刷

定價 250 元　　ISBN 978-986-134-173-6